Hugo M. Enomiya-Lassalle · Leben im neuen Bewußtsein

Inhalt

Einleitung des Herausgebers

Das vorliegende Lesebuch enthält eine Auswahl aus Werken und bisher nicht veröffentlichten Aufsätzen und Vorträgen des immer noch aktiv wirkenden Jesuitenpaters und Zen-Meisters Hugo Makibi Enomiya-Lassalle.

Ebenso wie sein berühmter, 1955 verstorbener Mitbruder Teilhard de Chardin gehört Enomiya-Lassalle zu den Vorläufern eines neuen Bewußtseins, das dem Menschen die absolute Wirklichkeit zu erfahren ermöglicht, ihn an den Punkt Omega, zur Vereinigung mit Gott zu führen hilft.

Enomiya-Lassalle hat in der Überwindung des bloß Rationalen, des dominierend diskursiven Denkens, den Zugang zu den Grundwassern Gottes mittels der Zen-Meditation seit 1943 erfahren und führt durch seine Wirkkraft sowie seine Schriften seit vielen Jahren Menschen aus aller Welt auf den Weg zu dieser neuen Wirklichkeitserfahrung. Pater Enomiya-Lassalle steht im 88. Lebensjahr und reist unermüdlich zwischen Japan und Europa, zwischen Ost und West, als Zen-Meister und Meditationslehrer, als Religionsphilosoph und neuartiger Missionar, als Führer und Wegbereiter in das neue Bewußtsein. Hugo Lassalle hat im Dialog mit den Buddhisten für die Christen das Fenster zum Osten geöffnet. Sein 1948 angenommener japanischer Name Makibi Enomiya besiegelt die Intensität dieses Dialogs. Er hat gegen erheblichen Widerstand aus der eigenen Kirche die Weisheit des Ostens für das Christentum neu entdeckt und durch Ausübung der Zen-Meditation einen neuen Zugang zur christlichen Mystik gefunden.

Enomiya-Lassalle hat u. a. auch zweifellos durch sein Wirken maßgebend dazu beigetragen, heute in unserer westlichen Welt die Mystiker der christlichen Vergangenheit (wie Meister Eckehart, Johannes Tauler, Teresa v. Avila, Johannes v. Kreuz u. a. m.) wieder in das christliche Bewußtsein zurückzurufen und diese mittels der Zen-Meditation in ihrer Tiefe besser verstehen zu helfen.

Es gibt kaum Vergleichbares in der katholischen Kirche, das an Wirken von Enomiya-Lassalle für die Versöhnung von Ost und West heranreicht.

Carl Friedrich v. Weizsäcker schrieb erst kürzlich über die Persönlichkeit von Enomiya-Lassalle: »Als einer der wichtigsten geistigen Vorgänge heute erscheint mir die Begegnung der Weltkulturen, zumal in ihrem überlieferten religiösen Selbstverständnis.

Daß ein Mann gleichzeitig und in hohem Maße glaubwürdig katholischer Priester und Jesuit sowie andererseits anerkannter Zen-Meister sein kann, erscheint mir als eine Art Vorbild für das, was in diesem Bereich fällig ist.«

Wer diesem überaus bescheidenen Ordensmann jemals begegnet ist oder mindestens seine Schriften gelesen hat, spürt die spirituelle Dimension eines Menschen mit mystischer Erfahrung.

Im Tao Te King von Lao Tse finden wir Worte, die ganz besonders auf Enomiya-Lassalle zutreffen.

»In die Stille gehen heißt: zu seiner Bestimmung zurückkehren. Zu seiner Bestimmung zurückkehren heißt: das Ewige erkennen. Das Ewige erkennen heißt: erleuchtet sein.«

Im Umgang und im Dialog mit seinen Meditationsschülern und Lesern seiner Schriften wird die grenzüberschreitende Toleranz und die tiefe Weisheit des Meisters Enomiya-Lassalle deutlich. Er sucht sich seine Schüler und Gesprächspartner nicht nach eigenem religiösem Bekenntnis aus, sondern respektiert im voraus die unterschiedliche Glaubensheimat der einzelnen Menschen. In der Zen-Meditation unter Führung von Enomiya-Lassalle findet jeder zu seiner ursprünglichen Religiosität zurück; er wird wieder angebunden (lat. religio) an sein eigentliches Selbst.

Immer wieder macht Enomiya-Lassalle darauf aufmerksam, daß die Begegnung mit Gott, die Erfahrung des Absoluten, ein Wirkungsprinzip ist, das in uns vorhanden ist. »Das Reich Gottes ist in euch« (Lukas 17,21).

10

Es ist oftmals schwierig, diese einfachen Worte zu integrieren, zu unseren eigenen zu machen, weil in unserer kopflastig gewordenen Welt der Intellekt, das Rationale, stark überhand genommen hat und dem Intuitiven zu wenig Raum gelassen wird.

Enomiya-Lassalle hat für den Menschen von heute ein großartiges Angebot zu machen: die Führung und Wegbegleitung in der Zen-Meditation zur Seinserfahrung.

Wie die großen Mystiker in vergangenen Zeiten erprobt auch Enomiya-Lassalle in unermüdlichem Einsatz Mittel und Wege zum Menschsein, versteht mit dem notwendigen Unterscheidungsvermögen Echtes von Unechtem im geistigen Leben zu trennen und findet schließlich durch einen Brückenbau zwischen Ost und West eine neue Spiritualität, die den Menschen in ihrer Orientierungslosigkeit Halt gibt.

Aus meinen vielen Begegnungen mit Pater Enomiya-Lassalle in Zen-Meditations-Kursen und in persönlichen Gesprächen habe ich die große Kraft der spirituellen Wegbegleitung erfahren können. Jedes Wort, jeder Satz, jeder Ratschlag, jede Geste entspringen einem Menschen, dessen Leben Wahrheit, echte Nachfolge Jesu Christi verkörpern.

Die Eucharistie-Feiern unter Enomiya-Lassalle werden für mich wie auch für die meisten Teilnehmer in unvergeßlicher Erinnerung bleiben: Die Schlichtheit der Feier und die Tiefe seiner Worte sind das eindrucksvolle Zeugnis eines wahren Meisters, eines Gastgebers, der seine Freunde am Tisch des Herrn versammelt und eine spürbare Verbindung zu Gott in Gang setzt.

Die Jünger Christi sowie unzählige Mystiker, Männer und Frauen, die ihm nachfolgten, haben die Entfaltung des Herzens im inneren Licht als Erlösung von Nichterkenntnis und Leidverhaftung erlebt und konnten mit Paulus bekennen: »Christus lebt in mir!« (Gal 2,20) oder durch Jesus erfahren: »Ich und der Vater sind eins!« (Joh 10,30). Das Ziel dieses Weges liegt weit entfernt, weil wir uns mehr auf den Kopf als auf unser Herz verlassen. Enomiya-Lassalle führt den Suchenden in der Meditation zurück zu seinen eigenen Quellen, damit der Spiegel der Seele wieder klar und durchsichtig wird. Dieses Erwachen zur

Helle des inneren Lichts ist eine notwendige Stufe in der vollen seelischen Entwicklung des Menschen, *jedes* Menschen, eine Stufe, auf der der transzendentale Sinn erwacht, das innere Auge sich auftut und die Wirklichkeit schaut. Es ist ein Durchbruch aus der einengenden Schale des Ich-Bewußtseins in die Weite und Lebenserfülltheit des kosmischen Bewußtseins.

Enomiya-Lassalle hat in der Begegnung mit der Zen-Meditation des Ostens die Bedeutung des Sitzens im absoluten Schweigen für den westlichen Menschen neu entdeckt. Schon die christlichen Mystiker wußten um diese wertvolle Erfahrung für das Seelenleben.

Wir lesen bei Meister Eckehart:

»Wer sitzt, der ist bereiter, klare Dinge hervorzubringen, als wer geht oder steht. Sitzen bedeutet Ruhe. Darum soll der Mensch sitzen, das ist in Demut sich niederbeugend unter alle Geschöpfe; dann kommt er in einen stillen Frieden.

Den Frieden erlangt er in einem Licht. Das Licht wird ihm gegeben in einer Stille, darin er sitzt und wohnt.«

Und bei Johannes Tauler finden wir die bezeichnende Stelle: »Es ist hilfreich, daß der äußere Mensch in Ruhestellung sei, daß er sitze und schweige und auch äußerlich an seinem Leib keine Unruhe habe. Um dieser Ruhe willen wird Gott euch das Himmelreich geben und sich selber.«

Enomiya-Lassalle ist wie seine zu ihrer Zeit oft mißverstandenen Vorgänger ein Mystiker unserer Zeit. Sein Weg zum kosmischen Bewußtsein hat ein völlig neues Leben zum Ziel: Aus dem Schläfer wird ein Erwachter, aus dem Kind ein geistig Erwachsener, aus dem Lichtsucher ein Erleuchteter – ein Bruder Christi.

Mit Enomiya-Lassalle auf dem Weg sein, ist eine willkommene Herausforderung für den Menschen von heute. Zum Ursprung finden bedeutet, aus der oft schmerzlichen Not, aus der Orientierungslosigkeit in eine echte Geborgenheit zurückzukehren. Enomiya-Lassalle führt uns in diesen ausgewählten und teilweise zum ersten Mal veröffentlichten Texten nicht in eine isolierte und elitäre Abgeschiedenheit, er weist auch nicht den Weg in ein mönchisches Dasein. Es geht ihm vielmehr um die Gegenwarts-

erfahrung: »age quod agis« (tue, was du tust), d. h. in jedem
Moment des Seins und Tuns vollständig anwesend und aufmerksam zu sein und nicht mit den Gedanken nur in der Vergangenheit
oder Zukunft herumzuschweifen. Die hier u. a. präsentierte Zen-
Meditation führt zur Realität und Gegenwart, sie ist kein narzisti-
sches Unternehmen zur Ichfindung, sondern ein Weg zur Über-
windung des hinderlichen Egos. Diese ausgewählten Texte ge-
ben Hinweise, wie man im aktiven Alltag zu der Mitte des
Menschlichen finden und seinen religiösen Standort in das kos-
mische Bewußtsein von heute integrieren kann.
Die Begegnung mit Enomiya-Lassalle bringt eine hervorragende
Aufwertung ganz weltlicher Dinge wie Disziplin, Wille,
Schmerzertragen, Konzentrationsübung, Verstehen auch ohne
Worte, Tun auch ohne ausgesprochenen Dank. Das Mittel der
Zen-Meditation ist eine Einübung in das wahre Dasein des
Menschen, eine Übung für jeden Tag des Lebens.
»Die Ehe ist wichtiger als Zen« betont z. B. Enomiya-Lassalle in
seinen Vorträgen. Zen ist keine Alternative zum alltäglichen
Leben, sondern eine wertvolle ergänzende Begleitung im Alltag.
Mit zunehmender Zen-Erfahrung wächst die Aufmerksamkeit
und das Verhalten zum Mitmenschen und zur Umwelt. Ein neues
Dasein ohne sichtbar ungewöhnliche äußere Zeichen, ein vertief-
tes Leben im neuen Bewußtsein wird sich einstellen.
Mögen diese ausgewählten Texte die Bedeutsamkeit dieses
neuen Bewußtseins für uns heute belegen und dazu beitragen,
daß zahlreiche Leser noch sehr lange an der großen Weisheit und
der unermüdlichen Schaffenskraft des reisenden Apostels und
Zen-Meisters Enomiya-Lassalle teilhaben.

Düsseldorf, März 1986   Roland Ropers

I Der Mensch am Wendepunkt

Der Mensch von heute befindet sich in einer Krise (1), am Scheideweg vom alten zum neuen Bewußtsein.

Wir stehen am Anfang einer großartigen evolutionären Bewegung und erleben den Morgen einer besseren Welt. Ein tiefgreifender Wandel des Denkens, der Wertesysteme und -ordnungen und der Wahrnehmung von Mensch und Umwelt hat sich vollzogen. Wir sprechen vom Paradigmen-Wechsel. Der Mensch hat in seiner langen Entwicklung verschiedenartige Stadien des Bewußtseins (2) durchlebt, den Weg vom archaischen zum rationalen bis hinein in das neue integrale Bewußtsein (3), welches die vierte Dimension einschließt. Eine völlig neue Wirklichkeitserfahrung, die von Raum und Zeit losgelöst ist, wird sich offenbaren. Wir werden die begriffliche Zeit überwinden müssen, um im ganzheitlichen Wahrnehmen zum Wesen aller Dinge vordringen zu können (4).

Unsere gegenwärtige Not ist ein Warnzeichen (5) für eine notwendige Veränderung und Neuorientierung.

Wir müssen uns allmählich aus der Fixierung des Dreidimensionalen (6) befreien, uns von der gewohnten Uhr-Zeit loslösen, um aus der ständigen Verstrickung in die Zeitfreiheit zu gelangen.

Der Weg führt uns auf eine neue Entwicklungsstufe, die Wehen für die Geburtsstunde (7) des neuen Menschen haben eingesetzt.

Aufrichtigkeit und Vorurteilslosigkeit werden das neue Denken bestimmen. Nur so wird wahre Liebe zwischen den Menschen möglich sein (8).

Die großen Mystiker wie Meister Eckehart, Johannes Tauler, Teresa v. Avila, Johannes v. Kreuz u. a. m. werden gerade heute wieder aktuell. Das Denken des neuen Menschen wird ein mystisches Denken sein (9).

1 Wohin geht der Mensch?

»Wohin geht der Mensch?« – diese Frage ist wohl *die* Frage
unserer Zeit. In den verschiedensten Schattierungen kommt sie
zum Ausdruck. In den meisten Fällen steht Besorgnis im Hintergrund, Besorgnis nicht nur um einzelne Menschen, sondern auch
um die Menschheit als Ganzes. Gewiß gibt es auch viele Fragen,
die nicht nur den einzelnen angehen, sondern Gruppen von
Menschen, die oft Millionen zählen. Man denke nur an Hunger
und Entwurzelung, wovon wir täglich in den Zeitungen, im
Radio und Fernsehen Kenntnis nehmen. Gewiß geschieht viel zur
Linderung der Not. Wenn es auch längst nicht ausreicht, so
besteht doch die Aussicht, daß sich bald in diesem, bald in jenem
Land die Lage bessert. In den meisten Fällen hängt die Lösung
auch von politischen Beziehungen der Länder ab, wie ja auch die
heraufbeschworene Not nur zu oft mit politischen Spannungen
ursächlich verbunden ist. Bisweilen sind es auch Naturkatastro-
phen wie Erdbeben und Überschwemmungen, deren Auswirkungen nur in beschränktem Maß durch menschliche Kräfte verhindert werden können [. . .]
Unsere Frage geht die ganze Menschheit an, nicht nur einzelne
oder Gruppen von Menschen. Dies dürfte heute niemandem
verborgen bleiben, der etwas tiefer sieht. Die Menschheit steht an
einem Wendepunkt. Man muß sogar sagen, daß wir uns in einem
Umbruch befinden, wie er in Jahrtausenden nur einmal vor-
kommt. Man denke nur an den Unterschied zwischen der Denk-
weise der jüngeren und jener der älteren Generation, wie man ihn

16

bisher wohl niemals erlebt hat. So ist eine logische Beweisführung heute noch für den größten Teil der älteren Generation überzeugend. Aber auf die jüngere Generation macht sie häufig kaum noch Eindruck; sie ist uninteressant für sie. Und doch ist das gewiß nicht ein Mangel an Begabung oder gutem Willen. Was ist da passiert? Wie ist das zu erklären? Die Gründe für diese Wandlung liegen tiefer, als man vielleicht meint. Man kann ohne Übertreibung sagen: Zwischen jung und alt steht eine Mauer, die unübersteigbar erscheint.

Wir wollen hier nicht nach moralischen Defekten des Menschen forschen und Vorschläge machen, wie man sie beseitigen kann. Vielmehr möchten wir herausfinden, wo der Mensch gegenwärtig steht, unabhängig davon, ob er selber Schuld daran trägt oder nicht. Erst dann können wir die Frage stellen, was zu tun ist und welche Aussichten für die Zukunft des Menschen bestehen.

Typisch ist auch, daß man heute viel vom Ende der Welt oder gar von ihrem völligen Untergang spricht. Manche trösten sich mit der Hoffnung, daß es auf einem anderen Stern weitergehen könnte, wo dann der Mensch seine Ziele nicht verfehlt. In diesem Zusammenhang kommen vielleicht die Prophezeiungen vom Ende der Welt in den Blick, die wir in den Religionen finden. Christus selbst hat von einem Weltgericht in der Endzeit gesprochen. Später wird dieses Thema ausführlich in der »Geheimen Offenbarung« des Johannes behandelt. Wir distanzieren uns bewußt von der Interpretation solcher Eschatologien. Es geht uns nicht um die Endstufe der Menschheit, sondern um ein neues Bewußtsein, das sich zu entwickeln scheint. [...]

Es geht hier nicht um ein neues System, sondern um die Überwindung der Krise, in der der Mensch heute steht. Dafür gibt es überhaupt kein System. Es gibt viele Menschen, die sich über diese Tatsache nicht im klaren sind und offenbar meinen, daß der Mensch oder die Menschheit durch eines der bestehenden Systeme, sei es Kommunismus, Kapitalismus oder Demokratie, oder auch einer noch zu findenden Form, vor dem drohenden Untergang bewahrt werden könnte. De facto geht es in der bestehenden Krise des Menschen nicht um Denkmodell oder

17

Ideologie. Es liegt uns daher auch fern, in diesem Zusammenhang zu den verschiedenen Ideologien oder Systemen Stellung zu
nehmen.

Aus: Wohin geht der Mensch 1981

2 Der Weg vom archaischen zum rationalen
Bewußtsein

Wir wollen uns zunächst die Stufen des Bewußtseins vor Augen
führen. Natürlich kann das nur in aller Kürze geschehen, aber ich
glaube, es wird sich doch lohnen.
Mit dem *archaischen* Bewußtsein ist die erste Form des menschlichen Bewußtseins gemeint. Also die Stufe des Bewußtseins, die
den Übergang vom Tier zum Menschen darstellt. Eine scharfe
Grenze kann man da noch nicht ziehen. Le Comte de Nouy
meint, es sei der Augenblick gewesen, in dem das Tier oder das
Wesen, das Mensch werden sollte, sich einer gewissen inneren
Freiheit bewußt wurde, die es bisher nicht besaß. Da es einzig
durch den Instinkt oder besser durch das, was wir heute Instinkt
nennen, geleitet wurde. Dieses Geschehen können wir uns nicht
vorstellen, und doch bedeutete es für dieses Wesen eine ganz
neue Welt. Allgemein muß man vorsichtig sein, wenn man die
früheren Bewußtseine begrifflich darstellt. Das ist niemals ganz
richtig, weil der Mensch noch keine Begriffe hatte. Aber wie soll
man es anders machen? Andererseits ist es auch mehr, daß die
Mythen uns sagen, was in einer Zeit passiert ist, wo es noch keine
Geschichtsschreibung gab und auch nicht geben konnte. Und
deswegen muß man genau zusehen. Da steckt viel mehr dahinter
als man meint, z. B. der Übergang vom magischen zum mythischen Bewußtsein, der in der griechischen Mythologie darge-
stellt wird. Die ganze Geschichte mit Troja und dem Paris, der
Helena-Suche, zeigt das Suchen des Menschen nach der Seele.
Jedenfalls fühlte sich der Mensch des archaischen Bewußtseins

18

noch ganz eins mit dem All. Es gab für ihn noch kein Gegenüber, noch viel weniger einen extremen Dualismus, in dem wir immer noch weitgehend verhaftet sind. In diesem Sinne war dieser Mensch noch raumlos und dazu noch zeitlos und ichlos. Wir können uns alles das nicht vorstellen, aber man kann es nicht anders sagen. Das Wesen dieser Stufe war Identität und in diesem Sinne Ganzheit. Alles Dinge, die uns heute so fehlen und Ursache vieler großer Probleme sind, z. B. die Gefahr eines Atomkrieges oder die Möglichkeit eines dauernden Weltfriedens; wenn es keinen Dualismus mehr gibt, gibt es keinen Krieg mehr und ist ewiger Friede möglich. Und doch können wir nicht einfach umkehren, sondern wir müssen einen weiten Umweg machen, um dahin zu kommen und das zu verstehen – in einem viel höheren Sinne.

Auf das archaische Bewußtsein folgte das *magische*. Auch dieser Mensch war noch ichlos. Für ihn war die Naturverbundenheit typisch, wie wir sie ja auch in etwa kennen und uns vorstellen können, sowie uns vielleicht auch wünschen. Aber auch der Mensch dieser Struktur erlebte eine Dekadenz – nach wieviel Jahren, das kann man nicht feststellen. Und dann artete das Positive des Magischen aus in Zauberei. Wir haben vielleicht eine Vorstellung vom Magischen, die eher negativ ist. Aber das ist das Magische einer Dekadenz, das ursprüngliche Magische war anders.

Darauf folgte schließlich das *mythische* Bewußtsein: Das Wesentliche dieser Struktur ist der Durchbruch zum Gegenüber, der Mensch erkennt sein Ich oder seine Seele. Wenn man heute von Mythen spricht, denkt man vielleicht an etwas, das keine Wirklichkeit hat. Jedoch bezüglich seines Bewußtseins ist es doch von großer Bedeutung. Aber auch da kam es zu einer Dekadenz. Der frühere Mensch hatte auch etwas vom Religiösen. Aber es war noch alles in ihm. Jetzt konnte er auch das nach außen projezieren. Er konnte die Gottheit als etwas Getrenntes von sich erleben. Und das ist, wie es scheint, zunächst nicht eine Vielgötterei gewesen, sondern ein Gott. Erst später kam die Welt der vielen Götter. In dem mythischen Bewußtsein war der Mensch wie von einem Kreis umschlossen, aus dem er sich nicht mit eigener Kraft befreien konnte.

Dies wurde möglich durch das begriffliche Denken, das mit der nächsten, nämlich *mentalen* Bewußtseinsveränderung zusammenhing. Im Westen begann dieser Prozeß mit den platonischen Ideen. Es gibt eine parallele Entwicklung im Osten, in Indien, die schon viel früher kam – vielleicht 1000 Jahre oder mehr. Aber die Entwicklung danach war anders. Sie haben das Neue bewahrt, ohne daß es in die extreme Rationalität überging. Das andere lebte nämlich weiter. Das war viel günstiger und gesünder.

Aus: Aperspektivische Wirklichkeitserfahrung und Manifestationen des Aperspektivischen 1985

3 Das neue integrale Bewußtsein

Wenn wir von einem neuen Bewußtsein sprechen und die bisherigen Bewußtseinsstufen geschichtlich darstellen wollen, dann kann man von einem null-, eins-, zwei-, dreidimensionalen Bewußtsein sprechen. Jetzt würde man dementsprechend das neue Bewußtsein vierdimensional nennen. Nun darf man das nicht so verstehen, daß das neue Bewußtsein nur diese eine vierte Dimension hat. Das wäre ganz falsch. Wenn das so wäre, könnten wir überhaupt nichts mehr tun, wir könnten nämlich nichts darstellen. Vielmehr bleiben alle früheren Dimensionen da, aber im rechten Maß und nicht im Übermaß. Es ist auch nicht so, daß das neue Bewußtsein eine Synthese von allen vieren ist, denn das wäre im wesentlichen nichts Neues. Eine Synthese ist hier überhaupt nicht möglich. Es ist vielmehr so, daß die vierte Dimension integrierend ist und so die bisherigen Dimensionen auf ein höheres Niveau erhebt. Doch ist die vierte Dimension selbst nicht darstellbar. Das ist schwer zu vollziehen. Solange die anderen Dimensionen noch allein herrschen, kann man die vierte Dimension nicht integrieren. Was ist gemeint mit aperspektivischer Wirklichkeitserfahrung? Das ist eine Wirklichkeitserfahrung, die über die Wirklichkeitserfahrung der vorausgehenden Bewußtseinsstrukturen hinausgeht. Archaische, magische, mythische, rationale Menschen haben oder hatten alle ihre eigenen Wirklichkeitserfahrungen, z. B. die mythische Erfahrung hatte auch eine Wirklichkeitserfahrung. Was aperspektivische Wirklichkeitserfahrung ist, können wir an einem Beispiel deutlich machen. Nämlich an der Erfahrung mit der Zeit.

Aus: Aperspektivische Wirklichkeitserfahrung und Manifestationen des Aperspektivischen 1985

4 Zeitfreiheit – Durchsichtigkeit – ganzheitliches Wahrnehmen

Typisch sind für die Ausdrucksweise der aperspektivischen Welt drei Hauptkriterien.
Das erste Hauptkriterium sind Versuche der Konkretion der Zeit im Sinne der *Zeitfreiheit,* d. h. das Bemühen, die begriffliche Zeit zu überwinden. Wir müssen wohl unterscheiden zwischen Abschaffen und Überwinden. Die Dinge werden nicht abgeschafft, sondern überwunden, um darüber hinauszukommen, obwohl sie doch noch bleiben. Das ist die Kunst heutzutage.
Durchsichtigkeit, die nicht aufgrund rationaler Schlußfolgerungen, sondern durch Begriffe und Worte hindurch zum Wesen der Dinge vordringt, ist das zweite Hauptkriterium. Wir sind gewohnt, wenn wir das Wesen der Dinge verstehen wollen, zu denken und sie auseinander zu nehmen, sowie nach den Gründen zu suchen. Dadurch kann man auch teilweise zum Wesen der Dinge kommen und verstehen, was das eigentlich ist. Aber Durchsichtigkeit heißt, nicht das Denken und auch nicht die Begriffe und Wörter abzuschaffen, sondern durch Begriffe und Worte hindurch zum Wesen der Dinge vorzudringen. Ich darf hier sagen, was manche von denen, die bei mir Zen geübt haben,

mir erzählen, und was ich selber täglich erfahre als Priester beim Gebet. Man liest jedes Wort und jede Silbe ganz bewußt, man weiß, was es bedeutet, aber ohne darüber nachzudenken. Erst dann kann man erfahren, was dahinter steht. Durch Meditation kann man das lernen, aber es braucht viel Zeit. Man darf natürlich nicht zu schnell, aber man braucht auch nicht besonders langsam zu lesen. Man kann hindurchsehen, aber was man erfährt, kann man nicht in Worten ausdrücken. Das ist nur ein Beispiel und gilt eben nicht nur bei solch einer Gelegenheit, sondern ganz allgemein: Durchsichtigkeit, die nicht aufgrund rationaler Schlußfolgerung, sondern durch Begriffe und Worte hindurch zum Wesen der Dinge vordringt.

Das ganzheitliche Wahrnehmen, das auch immer das Ganze wahrnimmt und auf diese Weise den extremen Dualismus überwindet, ist schließlich das dritte Hauptkriterium. Daß man immer das Ganze wahrnimmt, geht nicht von heute auf morgen. Wenn wir immer das Ganze wahrnehmen und noch einen Schritt weiter und gleichzeitig das Religiöse mit wahrnehmen, dann sind wir über den Dualismus hinaus. Dann geht es nicht mehr entweder – oder. Wir sind ja mit unserem Dualismus schlimmer dran als die Tiere. Tiere machen manchmal Zweikämpfe, wie Löwen oder zwei Wölfe. Aber das geht fast nie mit dem Tod aus, denn wenn der eine merkt, daß er nicht mehr weiter kann, zieht er sich zurück, und der andere läßt ihn gehen. Das haben wir offenbar bei dem Übergang zum Menschen verlernt.

Aus: Aperspektivische Wirklichkeitserfahrung und Manifestationen des Aperspektivischen 1985

5 Durchsichtigkeit, oder: Die gegenwärtige Not als Symptom der Krise

Ich komme noch einmal auf die Durchsichtigkeit, die man nicht direkt nach Wunsch vollziehen kann. Was kann man dann tun? Darauf kann man antworten: Man soll vorgesetzte Meinungen vermeiden und auf vorgefaßte Meinungen, vorausträumende Wünsche und blindwaltende Forderungen verzichten. Gebser sagt uns: Nur wo Egoismus überwunden ist, kann allmählich das Gleichgewicht aller in uns angelegten Komponenten und Bewußtseinsstrukturen erreicht und der Mensch zur Durchsichtigkeit und zum ganzheitlichen Wahrnehmen befähigt werden. Der Grund unserer gegenwärtigen Not sind auch nicht unbedingt die Bedrängnisse, die wir um uns sehen, z. B. daß viele Millionen Menschen vor Hunger sterben. Das sind Symptome. Auch wenn wir diese Symptome beseitigen, kommt das neue Bewußtsein noch nicht durch. Wir müssen dies auch tun und trotzdem uns doch bewußt sein, daß damit dieses neue Bewußtsein nicht durchkommt. Manche Leute sagen, sie hätten dem neuen Bewußtsein zum Durchbruch verholfen. Sie machen sich aber manchmal Vorwürfe, weil sie sich nicht mehr der verhungernden Kinder ausreichend annehmen können. Meditation ist jedoch kein Zeitverlust. Denn wenn wir innerlich ruhiger und gefestigter sind, können wir die Zeit besser ausnutzen, auch zum Besten der Mitmenschen.

Aus: Aperspektivische Wirklichkeitserfahrung und Manifestationen des Aperspektivischen 1985

6 Was können und sollen wir tun?

Hier stellt sich die Frage: Was können und sollen wir tun, damit das neue Bewußtsein zum Durchbruch kommt? Dazu sollen an dieser Stelle nur einige allgemeine Hinweise gegeben werden. Konkrete und ausführliche Anweisungen folgen später.
Zunächst und vor allem müssen wir uns bemühen, die Alleingültigkeit des rationalen Denkens zu überwinden. Mit anderen Worten, es geht darum, sich dem Systemzwang des Dreidimensionalen zu entziehen, durch das alles fixiert und ein unausweichliches Dilemma entstanden ist, in dem sich der Mensch sozusa-

gen totgelaufen hat. Wo das gelingt, verwandelt sich das Mental-Rationale aus einer Hauptkomponente in eine bloße Komponente neben und mit dem Magischen und Mythischen, die zusammen in der Diaphanität [Durchsichtigkeit] integriert werden. Eine mögliche Hilfe kann das erwähnte Konzept der akategorialen Elemente sein, die als Systasen den bloßen Begriff Zeit überwinden und auch alle anderen Aspekte der Zeit wahrnehmbar machen und auf diese Weise ahnen lassen, daß Zeit eine immerwährende Fülle geistiger Art ist.

Weiterhin ist zu bedenken, daß wir in einer Periode des Übergangs leben. Wenn wir uns aus der Bedrängnis, in die wir durch die Alleingültigkeit der sogenannten Uhr-Zeit gekommen sind, befreien wollen, müssen wir die Zeit aus ihrer rationalen Vergewaltigung lösen. Man spricht in diesem Sinn auch von einer Rehabilitation der Zeit. Das zu vollziehen ist freilich keine leichte Sache. Denn es besagt, daß wir das logische Denken transzendieren, das uns wenigstens im Westen seit zweitausend Jahren das Höchste zu sein schien und für lange Zeit auch war. Gerade deswegen scheint es vielen ein Ding der Unmöglichkeit zu sein, sich aus dieser Verstrickung zu lösen. Trotzdem ist es eine Tatsache, daß schon lange, wenn auch vielleicht unbewußt, um diese Befreiung gekämpft und gelitten wurde. Bis vor einigen Jahrzehnten gab es für viele Menschen immer noch die Möglichkeit, durch religiöse Bindungen das ganze uns heute bedrängende Problem in etwa der mental bewußten Sphäre zu entziehen. Schöpferische Allmacht, Ewigkeit und Unendlichkeit waren für viele Menschen fraglose Postulate des Glaubens, und die Verbürgtheit des bürgerlichen Menschen in seine Welt störten ihn nicht auf, neue Sicherungen zu suchen. Es gab noch einen kollektiven Glauben, der hinter den einzelnen Gläubigen stand. Das ist heute nicht mehr so, wenigstens bei uns im Westen nicht. Es ist bekannt, daß das religiöse Fundament durch den Rationalismus schwer erschüttert wurde. Es kam schließlich zur Totsagung Gottes.

Trotzdem gibt es auch heute gewiß noch Menschen, die sich durch einen tiefen Glauben sozusagen über Wasser halten, wenn auch die eben geschilderte allgemeine Notlage dadurch nicht behoben oder auch nur gemildert wird. Die Zahl derer, die das noch können, nimmt im Gegenteil beständig ab. Denn die begriffliche Darstellung der religiösen Wahrheiten reicht oft auch aufrichtigen Christen nicht mehr aus. Daher suchen viele von ihnen nicht mehr in der Theologie, sondern in der Glaubens- und Gotteserfahrung auf verschiedenen Wegen ihr Heil. Das ist eine typische Erscheinung unserer Zeit und sollte nicht als Verlust angesehen werden; denn es ist in Wirklichkeit ein Fortschritt. Dazu kommt, daß das Mentale nicht einmal ausreicht, um das Mythische, geschweige denn das Magische zu begreifen. Mit dieser Einschränkung auf das Mentale bejahen wir vielleicht nur ein Drittel der Weltwirklichkeit, wie das aus den früheren Ausführungen über die Bewußtseinsstrukturen ersichtlich sein dürfte.

Die neue Struktur soll alles integrieren. Da sich das aber nicht systematisch erfassen läßt, entsteht bei vielen Menschen, die im Rationalen verhaftet sind, Mißtrauen und Angst. Andererseits muß gegenüber solchen Bedenken auch wieder zugegeben werden, daß all das, was über das neue Bewußtsein gesagt wurde und vielleicht gesagt werden könnte, nicht als unumstößlich aufgefaßt werden darf. Es sind nur vorsichtige, wenn auch nicht unbegründete Vermutungen. Sicherheit können wir darüber erst haben, wenn die neue Struktur integriert ist. Es ist ähnlich wie bei früheren Übergängen von einer zur nächsten Struktur. Noch viel weniger können wir uns konkret in allen Einzelheiten vorstellen, wie dann das Leben in der Welt aussehen wird. Eines können wir auf jeden Fall tun, nämlich versuchen, erste Manifestationen der neuen Mutation festzustellen.

Aus: Wohin geht der Mensch 1981

7 Die Geburtsstunde des neuen Menschen

Viele Erscheinungen unserer Zeit, die gewiß nicht angenehm sind und Besorgnis erregen, sind als die Geburtswehen des neuen Menschen anzusehen. Die Menschheit leidet unter dieser Geburt ebenso wie jede Mutter, die ein Kind zur Welt bringt. Den Menschen, die aus einer früheren Zeit stammen, mag manches widersinnig vorkommen. Sie glauben und hoffen vielleicht, daß all das eine vorübergehende Krise ist und der Mensch über kurz oder lang zum Alten zurückfindet und alle diese Dinge einmal wieder überwunden sind wie eine langwierige Krankheit, die aber schließlich doch geheilt wird.

Tiefer sehende Menschen dagegen wissen, daß es kein Zurück zum Alten gibt und daß es daher sinnlos ist zu versuchen, das Rad der Entwicklung zurückzudrehen. Sie wissen, daß es nun einzig und allein darauf ankommt, daß dieser neue Mensch gesund und lebenskräftig zur Welt kommt. Wie viele nähere und nächste Ursachen man auch für diese Entwicklung angeben mag, letzten Endes sind das alles nur akzidentelle Ursachen. Die eigentliche Ursache ist die Natur des Menschen, die so angelegt ist, daß die Geburtsstunde des neuen Menschen früher oder später kommen muß. Denn die Persönlichkeit, das Person-Sein ist der tiefste Kern des Menschen; je mehr er sich daher dessen bewußt wird, desto mehr ist er Mensch.

Das aber impliziert das Verlangen nach und den Anspruch auf größere persönliche Freiheit. Dieser Anspruch ist heute bei der jüngeren Generation unverkennbar. Wenn man diese Zusammenhänge kennt, so weiß man, daß ein solches Verlangen nicht leichthin als Unbotmäßigkeit und Ungehorsam abgetan werden darf oder kann. Der neue Mensch kann einfach nicht darauf verzichten, in vielen Dingen gefragt zu werden und in irgendeiner Weise bei Entscheidungen mitzubestimmen, die seine Person angehen. Wenn einer das ohne Schwierigkeiten täte, so würde er damit zeigen, daß er die neueste Entwicklung der Menschheit nicht mit vollzogen hätte. Er würde damit einer vergangenen Zeit angehören. Andererseits besteht gerade da die Gefahr, daß berechtigte Ansprüche in einer Weise geltend gemacht werden, daß sie die gleichen Rechte des Mitmenschen mißachten. Damit aber würden sie sich selbst widersprechen.

Aus: Wohin geht der Mensch 1981

8 Neues Denken und neue Aufrichtigkeit

Weiterhin sollte der Mensch imstande sein, die Dinge so zu sehen, wie sie sind, und, was eng damit zusammenhängt, aufrichtig sein. Zum Verständnis dieser Forderung müssen wir einiges hinzufügen. Zwei Dinge sind in der Gegenwart besonders deutlich, welche die Beziehung von Mensch zu Mensch ständig bedrohen und überwunden werden müssen, bevor man von irgendeinem System eine Besserung dieser Beziehung erhoffen kann. Das erste ist, daß wir in unserem Denken fast immer von Vorurteilen geblendet sind. Es gibt kaum Menschen, die vorurteilslos denken können. Das zweite ist, daß es kaum Menschen gibt, die wirklich aufrichtig sind und, wir müssen hinzufügen: die überhaupt imstande sind, aufrichtig zu sein, obwohl sie es sein möchten und vielleicht auch meinen, daß sie es sind. Die einzige Ausnahme bilden die Kinder, soweit nicht auch sie schon von den Erwachsenen angesteckt sind. Wer das nicht glaubt, sollte sich, nachdem er etwas gesagt oder getan hat, immer wieder fragen, was eigentlich die Gründe waren, aus denen er etwas so und nicht anders gesagt oder getan hat. Dann wird er oft feststellen, daß es nicht die nackte Wahrheit war, sondern eine gefärbte. Die Folge davon ist, daß man kaum einem anderen traut und immer in Sorge ist, hintergangen zu werden. Solange die Lage so bleibt, ist ein Vertrauen, wie es für ein glückliches Miteinandersein unter Menschen erforderlich ist, nicht möglich. So kann auch unter den Menschen keine wahre Liebe bestehen, die doch das kostbarste Geschenk des Himmels ist und ohne die kein System die Menschheit glücklich machen kann, denn »Furcht ist nicht in der Liebe« (1 Joh 4,17).

Man muß diesen Tatsachen klar ins Auge sehen. Wenn der neue Mensch wirklich ein Fortschritt gegenüber dem alten sein soll, – und darum geht es, denn sonst ist es nichts Neues –, dann muß dieser Mensch imstande sein, vorurteilslos zu denken und aufrichtig zu sein. Jeder Mensch tritt schon mit einer bestimmten Erbmasse in die Welt ein; aber dazu kommen noch die ganze Erziehung und so vieles andere, das ihn allmählich formt zu diesem ganz bestimmten, einmaligen Menschen. Vieles von dem, was er in sich aufnimmt, ist gut; aber alles wirkt sich unabwendbar dahin aus, daß er sich bestimmte Auffassungen aneignet und Gewohnheiten annimmt. Besonders tragen dazu auch seine üblen Erfahrungen und Enttäuschungen bei. Das alles zusammengenommen wirkt wie eine gefärbte Brille, die mehr oder weniger alles in einer bestimmten Farbe erscheinen läßt. Und so kommt der Mensch im Lauf der Jahre zu vielen Vorurteilen, die bewußt oder unbewußt sein Urteil beeinflussen. Das aber läßt ein neues Denken, wie es der neue Mensch vollziehen sollte, nicht zum Zug kommen. Unsere Zeit drängt wohl mehr denn je auf ein neues Denken hin. Es ist ein gewaltiger Umbruch, der vieles bisher selbstverständlich Erscheinende in Frage stellt. Und doch ist in diesem Drängen ein Verlangen nach Wahrheit und Wirklichkeit am Werk.

Aus: Wohin geht der Mensch 1981

9 Die Vorläufer – Tauler und Eckhart: Zurück zur Mystik

Das neue Denken muß ein »mystisches Denken« sein, d. h. ein Denken, das von allen ungeordneten Haftungen frei ist und erst durch einen langen Läuterungsprozeß ermöglicht wird.
Nun wird man vielleicht sagen: Wenn der Mensch heranwächst, lernt, Erfahrungen macht und auf diese Weise sich seine Auffas-

sungen bildet und nach diesen sowohl gewissenhaft als auch opferbereit vorangeht: ist das nicht der Weg dieses und gerade dieses Menschen? Was sollte er auch anderes tun? Das ist die bisher wenigstens im Westen gültige Auffassung. Im Osten war und ist es nicht ganz so. Der Osten hat bis heute nicht vergessen, daß es außer der Sinnes- und Verstandeserkenntnis auch noch eine dritte Erkenntniskraft gibt, die Carl Albrecht »Das mystische Erkennen« [1966] nennen würde. Von diesem Autor stammt auch die bereits erwähnte Formulierung »mystisches Denken«. Im Westen ist dieses Bewußtsein – von Einzelfällen abgesehen – abhanden gekommen. Eine Ausnahme bilden die Mystiker. Tauler spricht sich klar darüber aus, wenn er sagt, daß der Mensch, der einmal zu dieser Erkenntnis gekommen ist, »augenblicklich weiß, was er tun, worum er bitten oder worüber er predigen soll«. Steinbüchel [(Hrsg.), Mensch und Gott in Frömmigkeit und Ethos der deutschen Mystik, 1952] sagt von Eckhart: »Vom Augenblick spricht der Mystiker in seinem ganz konkreten, bei Welt und Mensch bleibenden Ethos; vom ›Augenblick‹ – es erinnert an Kierkegaard –, da Gott als Fordernder vor die Seele tritt. Im Augenblick, jetzt ›Gottes zu warten und ihm allein zu folgen in dem Licht, in dem er dich anweisen möchte zum Tun und Lassen, so frei und neu zu sein in jedem Augenblick, als ob du nichts anderes hättest, wolltest und könntest, als was in diesem Augenblick dir gegeben und von dir verlangt ist – das ist die Frucht der Gottesgeburt‹. Wer ist nicht überrascht, daß er bei einem Mystiker, von dem man Verzückung erwartet, solche Situationsnähe, solche Freiheit allen vorgenommenen Übungen gegenüber findet. Mit der Prinzipienethik der Scholastik, die er kennt und bejaht, verbindet Meister Eckhart, der Mystiker, die konkrete Situationsethik. Wie eng ist er uns damit verbunden.«
Es wird einsichtig, daß das mystische Erkennen, das man vielleicht als unklar und unsicher anzusehen gewohnt ist, tatsächlich zuverlässiger ist als das schlußfolgernde.
Die Frage ist nun, ob nicht vielleicht mit dem neuen Menschen das, was bisher Ausnahme war, zur Regel werden könnte und sollte. Ist nicht gerade das mystische Denken, das vorurteilslos

ist, notwendig, um das wahre Wesen der Dinge zu erkennen? Es ist zum mindesten wahr, daß mit einem vorurteilslosen Denken mehr Aussicht besteht, die Wahrheit in ihrer Reinheit zu erfassen. Sollte die Entwicklung in diese Richtung gehen, so wäre damit auch die notwendige Voraussetzung geschaffen, daß der Mensch aufrichtig sein könnte und aufrichtig wäre.

Dieser Zusammenhang wird besonders dann klar, wenn man weiß, auf welchem Weg man zu diesem Denken kommt. Um nämlich von allen Vorurteilen frei zu werden, muß der Geist einer Reinigung unterzogen werden. Je mehr aber diese Reinigung fortschreitet, desto mehr wird der Mensch innerlich frei und gelöst. Das aber hat wiederum die Wirkung, daß die Furcht und alle anderen ungeordneten Motive beseitigt werden, die den Menschen zur Unaufrichtigkeit verleiten können: es besteht dann kein Grund mehr, die Unwahrheit zu sagen. »Nemo gratis mendax« – Niemand lügt ohne Grund. Wer wirklich innerlich frei ist, kann nicht mehr lügen. Die einzige Ausnahme könnte sein, daß man einem Mitmenschen dadurch helfen oder ihn vor Unglück bewahren möchte.

Aus: Wohin geht der Mensch 1981

II Dimensionen des kosmischen Bewußtseins

Mit wissenschaftlich fundierten Beweisen ist die Existenz Gottes nicht darstellbar (10). Die Überbetonung des Rationalen, des Intellekts, hat den Menschen zu einer Wissenschaftsgläubigkeit gebracht, die ihm zum Verhängnis geworden ist. Der junge Mensch von heute sucht nach Erfahrung, nicht nach auswendig zu lernenden Gottesbeweisen. Auf dem Erfahrungsweg zur Nähe und zur Vereinigung mit Gott, zur absoluten Wirklichkeit, durchlebt der Suchende eine Bewußtseinsveränderung von mystischer Qualität.

Allein die Vorahnung auf das mögliche Erleben der vierten Dimension (11) würde vielen Menschen Hoffnung und Kraft geben. Der Mensch wird durchsichtig, transparent und vollkommen für die Gegenwart Gottes. »Die Vollkommenheit besteht nicht in der Erkenntnis, sondern in der Stärke des Ergriffenseins« (Thomas von Aquin).

Unser Ego ist ein großes Hindernis auf dem Weg zu unserem Selbst, zur tiefen und absoluten Erkenntnis unseres Seins. Mit zunehmendem integralen Bewußtsein erlangt der Mensch eine Ich-Freiheit (12), die ihm den Zugang zur göttlichen Quelle in der eigenen Seele ermöglicht. Das neue Bewußtsein ist eine Gegenwartserfahrung, ein Erleben des Augenblicks ohne Rück- oder Vorschau in Vergangenheit oder Zukunft. »Was gestern war, ist heute nicht mehr gültig« sagen viele Zen-Meister.

Bei Matthäus 6,34 lesen wir: »Sorgt euch nicht um morgen, denn der morgige Tag wird für sich selbst sorgen. Jeder Tag hat genug eigene Plage.«

Wer Zeit und Raum überwindet (13) hat plötzlich Zeit und wird nicht mehr anfällig für durch Zeitdruck bedingte Krankheiten.

Die Darstellung der vierten Dimension bleibt vorerst ein Problem. Große Künstler wie z. B. Picasso haben in Vorahnung auf das Kommende zeichnerische Versuche gewagt (14). Albert Einstein hat den Begriff »vierte Dimension« geprägt (15). Dieser zunächst in der Physik gebrauchte Terminus findet inzwischen in verschiedenen Bereichen Verwendung wie auch für die Mutation des Bewußtseins. Einsteins Entdeckung der Relativitätstheorie hat das bislang statische Weltbild in ein neues Raum-Zeit-Kontinuum verwandelt (16). Durch die Überwindung der Gegensätze, des Dualismus, wird der neue Mensch in die Raum-Zeit-Freiheit geführt (17).

Wenn wir unseren Standort öfters wechseln, erhalten wir eine verschiedenartige Sicht der Dinge und machen uns bereit für ein offenes Denken, für die höhere Bewußtseinsstufe (18). Nur mit einem neuen Bewußtsein können die Irrtümer unserer großen wissenschaftlichen Erfolge in eine positive Richtung gelenkt werden. Wo kein Dualismus, keine Gegensätzlichkeit mehr existiert, ist die Notwendigkeit von Kriegen aufgehoben. Der Mensch wird bereit für ein dauerhaftes friedliches Zusammenleben (19). Wenn Ost und West enger zusammenrücken, wenn die vielschichtigen Erkenntnisse und Erfahrungen in toleranter Begegnung und gegenseitigem Verständnis ausgetauscht werden, gibt es einen gemeinsamen Weg in eine hoffnungsvolle Zukunft. Die Straßen des Ostens und Westens sind keine Einbahnstraßen (20). Enomiya-Lassalle würdigt dabei kritisch den Beitrag Teilhards de Chardin zur Wahrnehmung des Kosmischen im Menschen [vgl. z. B. das Zitat aus: Der Mensch im Kosmos, München 1959, 273].

»Um die kosmische ›Quell‹-Energie wahrzunehmen, muß man, sofern die Dinge ein Innen besitzen, bis zur inneren radialen Zone der geistigen Anziehungskräfte hinabsteigen.
Die Liebe in allen ihren Schattierungen ist nichts Anderes und nichts Geringeres als die mehr oder minder direkte Spur, die das Universum in seiner psychischen Konvergenz zu sich selbst in das Herz des Elements einprägt.«   *Teilhard de Chardin*

10 Zum Verhältnis von mystischer Erfahrung und naturwissenschaftlicher Erkenntnis

Ohne Zweifel gibt es das eine sowohl wie das andere. Es hat Zeiten gegeben, wo die mystische und auch die meditative Erfahrung höher gewertet wurde als die naturwissenschaftliche Erkenntnis, die ja historisch viel jünger ist. Sicher ist auch, daß sich das Verhältnis zugunsten der naturwissenschaftlichen Erkenntnis im Laufe der Zeit verändert und einen gewissen Höhepunkt erreicht hat, wo wenigstens von vielen Menschen die naturwissenschaftliche Erkenntnis höher und fast einseitig beherrschend gewertet wurde und die meditative Erfahrung kaum noch einen Stellenwert hatte. Vor etwa 30 Jahren sagte ein deutscher Wissenschaftler – ich habe ihn auch persönlich gekannt: »Was ich nicht messen kann, das existiert für mich nicht«. Dagegen können Sie von Descartes das Wort nehmen: »Ich denke, und damit existiere ich«. Diese Extreme sind passé. Heute gibt es Menschen, die nicht mehr an Gott rational glauben können und nur mit Hilfe der meditativen Erfahrung wieder zu Gott zurückfinden, oder – wenn man vorzieht, es nicht Gott zu nennen im Sinne einer Person – zu der letzten Wirklichkeit oder dem Absoluten.

Zur Zeit der einseitigen Betonung der Wissenschaft bestand die Tendenz, alles echte Wissen in der Wissenschaft zu sehen und jeden religiösen Glauben als überholt abzulehnen. Man sagte: Es ist nur eine Frage der Zeit, bis die Religion von selbst verschwindet. Das ist noch nicht lange her. Und in vielen Ländern, besonders im Westen, eingeschlossen USA natürlich, stehen die meisten oder wenigstens sehr viele Menschen noch auf diesem Standpunkt. Aber es gibt auch schon seit langer Zeit und bis vor kurzem noch Menschen, die beides akzeptieren und sagen: Von der Religion her gesehen gibt es Gott und was damit zusammenhängt, also die Religion. Dagegen von der Wissenschaft her gesehen gibt es so etwas nicht. Es ist eigentlich erstaunlich, daß der Mensch, oder wenigstens viele Menschen, diesen Wider-

spruch so lange ertragen haben. Das war möglich, weil es noch einen traditionellen Glauben oder besser gesagt, noch ein kollektives religiöses Bewußtsein gab, was heute nicht mehr allgemein der Fall ist. Das gilt für Europa und USA im allgemeinen und im Osten, in Japan, mehr oder weniger. Es gibt auch Länder, wo es noch ein kollektives religiöses Bewußtsein gibt, z. B. in Indien. Wenn Sie mal in Indien gewesen sind, können Sie das sofort spüren, das ist noch da. Jedenfalls ist dieser allgemeine Mangel am kollektiven religiösen Bewußtsein der Grund dafür, daß man diesen Widerspruch nicht mehr länger »verdauen« konnte.
Heute ist es wieder sehr viel anders, es entstand eine ganz andere Situation. Das möchte ich sehr betonen. Obwohl die Wissenschaft als solche anerkannt wird, kann sie dem heutigen Menschen den religiösen Glauben nicht ersetzen. Anderseits hilft es diesen Menschen nichts, wenn man ihnen Beweise für den Glauben, z. B. für das Dasein von Gott, bringt. Das erscheint heute selbstverständlich, aber ich muß doch sagen, daß ich in meiner Jugend, die ziemlich weit zurückliegt, tatsächlich doch mit Glaubensbeweisen etwas anfangen konnte. Damit kann man den Glauben nicht ersetzen, aber trotz alledem war es eine Hilfe. Versuchen wir heute, einem jungen Menschen zu beweisen, daß es einen Gott gibt. Das kommt überhaupt nicht an. Das ist für ihn langweilig. [. . .]
Demgegenüber ist heute ein großes Verlangen nach der religiösen Erfahrung wachgeworden. Dem entspricht auch das große Interesse für Meditation, unter anderem auch für die Zen-Meditation, die ja gerade darauf eingestellt ist, durch Erfahrung die Wirklichkeit zu erkennen. Alles dies hängt mit dem neuen Bewußtsein, mit der Bewußtseinsveränderung des Menschen in unserer Zeit zusammen. Wir müssen wenigstens zunächst versuchen, zu verdeutlichen, was mit dieser Bewußtseinsveränderung gemeint ist. Und wie weit es schon Manifestationen der aperspektivischen Welt gibt. Was das erste betrifft, so ist es eine Bewußtseinsveränderung, die durch die ganze Menschheit hindurchgeht, also nicht in einzelnen Menschen geschieht wie selbstverständliche Bewußtseinsveränderungen in jedem Men-

schen von der Kindheit bis zum erwachsenen Alter. Hier ist eine Bewußtseinsveränderung gemeint – die durch die gesamte Menschheit geht, ohne daß alle einzelnen sofort auf einmal daran teilnehmen können.

Aus: Aperspektivische Wirklichkeitserfahrung und Manifestationen des Aperspektivischen 1985

11 Die gegenwärtige Krise als Vorzeichen der vierten Dimension des Bewußtseins

Die Tatsache, daß es in jeder Struktur zwei Phasen gibt, die qualitativ-maßvolle, die effizient ist, und die quantitativ-maß- lose, die defizient ist, könnte zu dem Schluß verleiten, daß auch hier wie anderswo das Neue nach einiger Zeit degeneriert und untergeht. Diese Beobachtung hat man auch bei vielen Religio- nen gemacht. Der Stifter war ein Heiliger oder Berufener. Er bekam viele Anhänger. Dann wurde die Religion organisiert. Aber der Geist starb, und nur die Form blieb noch und wurde von denen, die durch sie lebten, mit Mühe aufrechterhalten, bis ein Sturm alles hinwegfegte.
Doch ist es mit den Bewußtseinsstrukturen bei genauerem Zuse- hen ganz anders. Das Defizientwerden einer Struktur ist zwar Verarmung und Erschöpfung, aber gleichzeitig auch die Gewähr einer neuen Mutation. Jede Mutation ist in diesem Sinn eine Vervollkommnung des Menschen als solchem, ein Fortschritt im besten Sinn. Aber gleichzeitig besteht doch die Gefahr, daß sie sich ins Maßlose verstärkt. An diesem Punkt befinden wir uns gerade jetzt. Die Lösung ist weder ein weiterer Fortschritt auf dem Gebiet der Wissenschaft, der eine weitere Quantifizierung bedeuten würde, noch das Zurückfallen ins Esoterische im Sinn von Geheimwissenschaften. Auch die Technik hat ihre Grenzen. Man braucht nur an die Kraftwagen zu denken, die zwar immer vollkommener und zahlreicher werden, aber sich auch immer

mehr gegenseitig hindern, weil der Raum beschränkt ist, abgesehen davon, daß der Brennstoff nicht unerschöpflich ist. Wir sind auch hier in eine Sackgasse geraten.

In der gegenwärtigen Krise sollten wir nicht vergessen, daß in der Vergangenheit der Niedergang einer Bewußtseinsstruktur immer auch ein Zeichen und sogar eine verborgene Garantie für eine heraufkommende neue Struktur war. Daher ist es heute so wichtig, daß die vierte Dimension integriert wird. Wenn der moderne Mensch auch nur von ferne eine Ahnung hätte von dem, was mit der neuen Dimension gemeint ist, könnte er aufatmen. Er würde neue Kraft verspüren, weil ihm Möglichkeiten aufleuchten könnten, an die er bisher nicht gedacht hat. Anderseits ist jede einseitige Lösung von vornherein zum Scheitern verurteilt; sie ist keine Lösung, sondern im günstigsten Fall nur ein Hinausschieben. Denn sie ist zeitbedingt und mental, gleichgültig, ob sie auf das Nur-Meßbare oder auf das Unmeßbare eingestellt ist. Es handelt sich weder um Aufstieg noch um Abstieg, sondern um eine Umlagerung, eine mutierende Entfaltung. Das Ergebnis dieser Umlagerung ist das Sichtbarwerden des Ursprungs, die Transparenz, das Durchscheinende im Menschen und durch ihn hindurch Sichtbar-Werdende. Es ist der Ausweis einer neuen Mutation, durch welche die vorhergehenden raumzeitlichen Entfaltungen, wie sie sich in der zunehmenden Dimensionierung des Bewußtseins darstellen, integriert und sinnvoll werden.

Durch die Durchsichtigkeit wird auch der Widerspruch zwischen Glauben und Wissen, zwischen Mythos und Wissenschaft überwunden. Dieser Dualismus wird, wohlbemerkt, ohne Vernunftgründe aufgehoben. Das ist von der mentalen Struktur her unverständlich. Doch die Diaphanität [Durchsichtigkeit], wie sie hier gemeint ist, steht mit dem Rationalen nicht im Widerspruch, sondern geht darüber hinaus.

Aus: Wohin geht der Mensch 1981

12 Ein Teil des Ganzen durch Ich-Freiheit

Die bei der Beschreibung der einzelnen Bewußtseinsstrukturen
bereits angesprochenen Beziehungen zu Raum und Zeit sollen
nun im Verhältnis zueinander noch verdeutlicht werden. Der
magische Mensch war sich weder der Zeit noch des Raumes
bewußt, eine Situation, die wir uns heute nicht mehr vorstellen
können, um so weniger, als wir von der Bewußtheit des Raumes
und der Zeit geradezu besessen sind. Der magische Mensch
erlebte die Erde noch nicht als etwas von ihm selbst Verschiede-
nes, weil er sein Ich noch nicht entdeckt hatte. Für ihn gab es
noch kein Gegenüber. Er war Teil des Ganzen. Das Kleinkind
erlebt seine Umwelt noch nicht als etwas Fremdes, weil es
individuell noch nicht genügend entwickelt ist. Wohl gibt es auch
für uns Augenblicke, wo das Ich-Bewußtsein sozusagen verschwunden ist. Das kann gewollt oder ungewollt auf verschiedene Weise geschehen. Das Gegenüber ist dann nicht mehr da
wie sonst. Und doch ist dieser Zustand nicht der des magischen
Menschen. Der magische Mensch hatte sein Ich noch nicht
entdeckt. Wir müssen unterscheiden zwischen Ich-Losigkeit und
Ich-Freiheit. Jene gehört dem magischen Menschen, diese dem
Menschen des integralen Bewußtseins. [...]
Es gibt außer der quantitativen Zeit auch Zeit im qualitativen
Sinn, z. B. vergehen unserem Gefühl nach die Jahre in der
Jugend langsamer als im Alter. Oder ein anderes Beispiel: Eine
Minute großen Schmerzes erscheint uns länger als eine Stunde
großer Freude.

Aus: Wohin geht der Mensch 1981

13 Zur Überwindung von Zeit und Raum – gegen Streß und Krebs

Es gibt verschiedene Arten von Zeit, und schon vorher gibt es im wahren Sinne Zeitlosigkeit, das haben wir ja schon gesagt. Der erste Mensch, der archaische Mensch, war buchstäblich zeitlos. Und darüber hinaus hatte er noch keine Zeiterfahrung, der magische Mensch hatte eine Erfahrung der Zeit, aber anders als der heutige Mensch. Man hat es Zeithaftigkeit genannt. Er wußte von Tag und Nacht, durch die Mondphasen konnte er Wirklichkeiten, längere Zeiträume erfahren, die er durch die Sonne nicht erfahren konnte. Heute zählen wir noch dementsprechend zwölf Monate im Jahr.

Die Zeithaftigkeit ist nicht an den Raum gebunden und daher nicht quantitativ. Sie ist aus der im magischen Menschen punkthaften Bewußtseinsform durch die Bewegung entstanden, so daß der Punkt zu einer Linie wurde. Die Linie war jedoch ein in sich geschlossener Kreis, in dem der Mensch der mythischen Struktur noch geborgen oder eingeschlossen war. Daher ist auch die Signatur der mythischen Periode der Kreis. Die Zeithaftigkeit der mythischen Struktur läuft parallel zu dem Seelischen, das in dieser Periode entdeckt wurde. Die Bewegung ist beiden gemeinsam, also gibt es in der magischen Struktur keinen Raum und keine Zeitlosigkeit. In der mythischen gibt es Zeithaftigkeit, aber noch keine Zeitphasen wie Vergangenheit, Gegenwart und Zukunft.

Erst in der mentalen Struktur gibt es begriffliche Zeit, die quantitativ ist und auch Uhrenzeit genannt werden kann. Dann erst gibt es scharfe Unterscheidung zwischen Vergangenheit, Gegenwart und Zukunft. Die Zeit mißt und teilt – im Gegensatz zur Zeithaftigkeit, die verbindet. Jene zerschneidet dann schließlich das mythische Weltbild. Aber das mentale Bewußtsein war noch nicht so radikal im Anfang, in den ersten Jahrhunderten nach Plato, wie gegenwärtig. Das kam erst viel später. Da waren die Leute noch nicht so in Bedrängnis. Es ist, wie bei allen Bewußtseinsstufen, am Anfang ist alles gut und richtig, aber irgendwann kommt eine Dekadenz, und dann wird es unerträglich und kommt etwas Neues.

Wie ist es nun mit der Zeiterfahrung in der aperspektivischen Wirklichkeitserfahrung? Das ist, kurz gesagt, Zeitfreiheit. Nicht Zeitlosigkeit, Zeitfreiheit. Was soll das heißen? Die Zeitfreiheit ist typisch oder vielmehr wird typisch sein für das neue Bewußtsein, wenn es einmal völlig im Bewußtsein des Menschen integriert ist. Zeitfreiheit heißt, kurz gesagt, daß die Zeit nicht mehr zur Bedrängnis wird. Das wird möglich, wenn der Mensch immer in der Gegenwart lebt.

Wir leben heute fast nur in der Vergangenheit und Zukunft. Das ist typisch für die Uhrenzeit, wo man keine Zeit hat. Die Begleiterscheinungen sind Infarkte, Nervosität und Krebs. Das sind die modernen Krankheiten. Es hat zu anderen Zeiten andere Krankheiten gegeben, wie Pest und Cholera, an denen viele Menschen gestorben sind, die wir aber inzwischen durch sofortige Gegenmaßnahmen einzuschränken gelernt haben. Die typischen Krankheiten unserer Zeit sind zum größten Teil durch Streß hervorgerufen. Streß vermeiden können wir nicht, aber wir müssen einen Weg finden, den Streß auf eine natürliche Weise abzubauen. Allerdings nicht durch medizinische oder ähnliche Beruhigungsmittel. Und wenn dies auf natürliche Weise geschieht, z. B. durch Meditation, schadet der Streß nicht. Wenn wir die Meditation so weit integrieren, daß wir überhaupt nicht mehr so in den Streß hineinkommen, ist es um so besser. Das sollte mit der Zeit auch gelingen, ganz abgesehen von religiösen Erfahrungen, Gotteserfahrung usw. Manche Leute sagen: Was soll das denn? Ich habe keine Zeit dazu. Vielleicht bekommst du mal Zeit, aber wenn es zu spät ist.

Aus: Aperspektivische Wirklichkeitserfahrung und Manifestationen der Aperspektivischen 1985

14 Die Vorahnung der Kunst

Um diese Situation zu verdeutlichen, können wir an die Kunst denken. In der ganzen Entwicklung des menschlichen Bewußtseins spielt die Kunst eine wichtige Rolle, insofern nämlich, als das neue Bewußtsein durch die Kunst bereits angedeutet wurde. Die Kunst deutet eine neue Bewußtseinsstruktur an, die aber noch nicht vollständig präsent ist. Wie beim Denken gibt es auch in der Kunst ein Vorwärtsschreiten von Dimension zu Dimension. Das magische Denken war eindimensional, und es geht dann weiter. In der Kunst geht es auch bis zum Dreidimensionalen, z. B. bei Michelangelo finden wir schon eine dreidimensionale Kunst. Aber es ist immer so, daß die Kunst gewissermaßen früher kommt. Sie zeigt schon etwas, was wir noch nicht wissen. Ähnlich verhält es sich auch gegenwärtig mit dem neuen Bewußtsein. Der Name Picasso steht für diese Versuche der Bewußtseinsveränderung. Er wollte die vierte Dimension *darstellen*, obwohl man sie nicht darstellen kann. Was soll der Künstler machen? Wenn er versucht, sie darzustellen, wird es unsymmetrisch. Wenn man sein berühmtes Bild einer Frau ansieht, so scheint es, als wenn die eine Hälfte des Gesichts ein Stück heruntergerutscht wäre. Irgendwie ist dies in der ganzen modernen Kunst ein Problem, und man muß da wohl unterscheiden zwischen Kitsch und Echtem. Auch nicht bei jeder modernen Kunst ist sicher, daß hier eine Präsentation der vierten Dimension gelungen ist.

Man findet z. B. in uralten Höhlen, die es auch in Deutschland gibt, Zeichnungen von vierbeinigen Tieren, wo die vier Beine alle in einer Reihe sind, genau wie die kleinen Kinder zeichnen. Das ist die zweite Dimension. Man kann sagen, jeder Mensch macht alle Dimensionen durch, von der Kindheit an. Aber zur vierten kommt er gegenwärtig noch nicht. Es ist vielleicht ein Trost zu sagen – das ist meine ganz persönliche Meinung –, daß der Mensch, wenn er einmal die vierte Dimension integriert hat, und somit die Kinder dann mit derselben Selbstverständlichkeit, wie sie zum rationalen Denken in einem gewissen Alter kommen, auch zu der vierten Dimension, d. h. zu einer Erleuchtung, gelangen.

Nun wäre noch über andere Künste zu sprechen. Es wurde schon erwähnt, daß die Kunst immer das Neue voraussagt. Aber man muß da schon gut zusehen, z. B. in der Musik ist es nicht selbstverständlich, daß die Jazzmusik, nur weil sie neu ist, wirklich automatisch etwas mit der vierten Dimension zu tun hat. Es kann aber sein, daß ein Versuch in dieser Richtung für viele Menschen noch unerträglich ist – und für manche doch nicht: Alles steht in einem Wandel.

Aus: Aperspektivische Wirklichkeitserfahrung und Manifestationen des Aperspektivischen 1985

15 Die vierte Dimension

Im folgenden soll die wiederholt erwähnte vierte Dimension zum besseren Verständnis im Zusammenhang näher erklärt werden. Die echte vierte Dimension ist nicht im eigentlichen Sinn Dimension wie die ersten drei, sondern im Sinn der Zeitfreiheit als akategoriales Element A-mension. Sie bewirkt zugleich Auflösung und Integrierung der drei Raumdimensionen. Sie löst die Meßbarkeiten und mißt gewissermaßen hindurch. Der Ausdruck »vierte Dimension«, der von Einstein stammt, wird heute auch oft auf anderen Gebieten als der Physik gebraucht. Man muß daher gut zuhören, was gemeint ist, wenn irgendwo von vierter Dimension gesprochen wird. In unserer Darstellung verstehen wir darunter die Mutation des Bewußtseins, die wie alle bisherigen Mutationen als latent in uns veranlagt zu betrachten ist und zum Durchbruch kommen muß und sich dann ihrer umgestaltenden Kraft gemäß manifestiert. Jede Realisation einer vierten Dimension kann nur dann weltbildend sein, wenn sie nicht als eine zusätzliche Dimension betrachtet wird, sondern als integrierende. Andernfalls ergibt sich nur eine nochmalige Raumerweiterung, die auf die Dauer nur weltzerstörend wirken kann.

Es versteht sich, daß mit der vierten Dimension in der Physik noch nicht das geschehen ist, was mit der vierten Dimension im Sinn einer Mutation gemeint ist. Denn diese ist in allen Lebens- und Denkbereichen konkret wirksam. Durch die Einführung der bloßen »Zeit« im Sinn von Zeithaftigkeit in die bisherige Raumvorstellung ist diese nur zum Teil überwunden. Es muß aber eine Überwindung erreicht werden, die einer Befreiung gleichkommt und nicht nur eine Raumerweiterung bewirkt. Andererseits darf dabei der dreidimensionale Raum ebensowenig zerstört werden wie die zweidimensionale Fläche durch den dreidimensionalen Raum zerstört wurde. Denn die Befreiung von einer jeweils um eine Dimension geringeren Welt ist vornehmlich eine Befreiung von der ausschließlichen Gültigkeit der weniger-dimensionalen Struktur. Um nochmals auf die Einsteinsche vierte Dimension zurückzukommen, so ist zu bemerken, daß sie durchaus Hinweise auf allgemeine Gültigkeit enthält, z. B. Unanschaulichkeit, nicht zu verwechseln mit Abstraktion. Denn auch sie ist mit der bloßen mentalen Vorstellung nicht darstellbar.

Auch die Zeitfreiheit, ein anderer Aspekt der vierten Dimension, läßt sich ihrer Natur nach nicht definieren. Wir können sie vielleicht durch die Beantwortung dreier Fragen einigermaßen verständlich machen. Die erste Frage lautet: Was ist Zeitfreiheit? – Es ist die bewußt gewordene Form des archaischen, ursprünglichen Vorzeithaften. Jener archaische Mensch hatte noch keine Ahnung von Zeit oder Zeithaftigkeit. Für ihn gab es daher auch keinen Mangel an Zeit, während wir heute davon ständig bedrängt werden und durch den damit verbundenen Streß nicht mehr zur Ruhe kommen. Das heißt jedoch nicht, daß jener archaische Mensch zeitfrei im Sinn der Zeitfreiheit war. Sondern er war zeitlos. Damit aber fehlte ihm etwas, das zum voll entwickelten Menschen gehört. Wenn wir heutigen Menschen uns dieser vollkommenen Unberührtheit von jeglicher Art von Zeit bewußt werden und uns doch aller Zeitformen bewußt bleiben, dann genießen wir alle Arten von Zeit, ohne daß sie uns irgendwie bedrängen. Die Zeitfreiheit ist also weder Zeitlosigkeit nocht Zeitverhaftetsein und doch Zeit.

Die zweite Frage lautet: Inwiefern ist die Zeitfreiheit realisierbar? Das geschieht, wenn wir die einzelnen Zeitformen realisieren, indem wir der magischen Zeitlosigkeit, der mythischen Zeithaftigkeit und der mentalen Begriffszeit ihren ganzheitlichen Wirkcharakter zuerkennen und sie ihrer Bewußtseinsgrade gemäß leben. Diese Konkretion der Zeit erschließt uns die vorbewußte Vorzeitlosigkeit. Insofern ist die Zeitfreiheit die bewußte Quintessenz aller bisherigen Zeitformen. Ihre Bewußtwerdung ist zugleich die Befreiung von allen drei Formen. Alles wird Gegenwart und damit integrierbare Gegenwart. Das aber heißt: Vorbewußter Ursprung wird Gegenwart. Damit nehmen wir die Welt in ihren Grundlagen wahr und sind nicht mehr ausschließlich gebunden an die Erlebnis-, Erfahrungs- und Vorstellungsformen der Welt. Wir sehen diese Welt nicht mehr perspektivisch fixiert, sondern aperspektivisch und unfixiert. Wer die drei bisher grundlegenden Zeitformen, d. h. die magische Zeitlosigkeit, die mythische Zeithaftigkeit und die mentale begriffliche Zeit zu realisieren und damit zu konkretisieren vermochte, steht bewußt in der Vierdimensionalität.

Die dritte Frage lautet: Warum ist die Zeitfreiheit die vierte Dimension? Weil sie die vierte Dimension konstituiert und erschließt. Durch die Zeitfreiheit werden nämlich die Fundamente durchsichtig bis hin zu der ursprünglichen und vorbewußten Vorzeithaftigkeit. Die bewußte Form der Vorzeitigkeit, die Zeitfreiheit, ist daher die vierte Dimension. Es sei nochmals daran erinnert, daß man die vierte Dimension und alles, was damit zusammenhängt, nicht im eigentlichen Sinn darstellen kann. Daher wird auch die obige Erklärung, die sich auf Jean Gebsers »Ursprung und Gegenwart« [1966] stützt, manchen nicht befriedigen. Sie ist eben doch nur ein Versuch und kann wenigstens einer Annäherung zum Verständnis dienen. Erst wer die vierte Dimension integriert hat, weiß, was sie ist, und für ihn ist sie eine Selbstverständlichkeit.

Aus: Wohin geht der Mensch 1981

16 Relativitätstheorie, oder: Die Überwindung des Materialismus

Bei der Manifestation der aperspektivischen Welt ist zunächst die Physik zu nennen: Ich möchte nur nebenbei bemerken, daß ich die Bücher von Fritjof Capras, die ja ziemlich neu sind, kennengelernt habe, während ich mich mit Gebser sehr lange vorher beschäftigt habe. Und ich habe gefunden, daß z. B. Capras Buch »Das Tao der Physik« (1984), eine sehr gute Ergänzung ist. Er zitiert auch Gebser sehr oft, aber es kommt da ein neues Element hinein, das Gebser wenigstens nicht in der Form anspricht, was aber gerade die neue Physik anbetrifft. Wenn man heute die ganze geistige Weltlage irgendwie erfassen will, kann man von der neuen Physik nicht mehr absehen. Das ist wohl ganz sicher.

Dazu eine Aussage von Carl-Friedrich von Weizsäcker: Das mechanische Weltbild der klassischen Physik, das bis zum Jahre 1900 Gültigkeit hatte, ist zerstört, gründlicher als man es hätte erraten können. Das ist kein Unglück, sondern eine heilsame Lehre. Die neue Physik ist das erste geschlossene, mit mathematischer Exaktheit faßbare System einer Naturkenntnis jenseits der Grenzen des mechanischen Weltbildes. »Mechanisches Weltbild« spielte auf die bisherige Auffassung an, die ja immer noch das Ganze als Materie bezeichnete. Und hier ist nun vor allen Dingen zunächst selbstverständlich Einstein zu nennen, der die vierte Dimension entdeckte. Das Zeitthema beherrscht auch die Physik. Durch Einstein wurde die Zeit aus der bloßen Abstraktion befreit, sie wurde zu einem relativen Element innerhalb des Weltbildes, das nicht nur eine bloß statische Welt vorstellt, sondern sie in Fluß brachte und sie in das neue konzipierte Raum-Zeit-Kontinium verwandelte. Der entscheidende Schritt geschah durch die Quantentheorie von Max Planck. Er wies nach, daß die Natur doch Sprünge macht. Nicht wie wir gelernt haben: Es hat alles seine Ursache, alles seinen Grund, und so geht es weiter. Das stimmt nicht mehr. Es ist radikal anders.

Unsere Welt baut sich daher nicht kontinuierlich, sondern diskontinuierlich sprunghaft auf, nicht voraussehbar. Die Zeit ist demnach keine lineare, stetige kausal bestimmte Größe, sondern eine Intensität eigener Art. Das bedeutet, daß uns die physikalische Erkenntnis die Komplexität dessen erschließt, was sich hinter dem bloßen Begriff Zeit verborgen hat. Die Relativitätstheorie lehrt, daß wir zu einer allgemeinen gültigen Einsicht nur kommen, wenn wir die Ereignisse nicht in Raum und meßbarer Zeit zerlegt betrachten. Die neue Physik enthält einen weiteren Hinweis auf eine neue Zeitauffassung, indem sie die Meinung vertritt, daß die Welt endlich, aber unbegrenzt ist. Das sind verschiedene neue Erkenntnisse, die konkret besagen, es gebe z. B. keine Materie. Denn alle Materie kann man in Energie umsetzen. Natürlich, praktisch sind noch viele Leute Materialisten, das ist etwas anderes. Aber die liegen vollständig falsch. Das gibt es einfach nicht mehr. Das heißt, mit der neuen Physik, mit all dem Neuen, was da kommt, gewinnen wir nur einen neuen festeren Boden. Ich möchte in diesem Zusammenhang sagen, daß auch Teilhard de Chardin die feste Überzeugung hatte, daß es in der Entwicklung niemals zurück geht. Es geht weiter und auf einen Punkt der Vollendung, auf den Punkt Omega. Wenn es auch zwischendurch sehr schwierig sein mag, geht es immer weiter. Wir können nicht zurück, wir müssen weiter. Und deswegen sollte man auch vor dem Neuen, das auf uns zukommt, keine Angst haben. Es kann nur besser werden. Immerhin, es wird uns diese Bewußtseinsveränderung noch Vieles kosten, ganz sicher. Das Gegensatzpaar Raum und Zeit, Energie und Materie, die Welt und das beobachtende Subjekt – das ist das Wichtigste – sind nicht mehr trennbar. Das heißt: Das objektivierende Denken ist nicht mehr möglich. Also während wir, die Menschen, das Objekt untersuchen, verändert sich etwas. Das können wir rational nicht verstehen, wir können es auch nicht darstellen. Aber es ist eine Tatsache, daß viele Gelehrte daran gearbeitet haben, bis sie zu diesem Ergebnis gekommen sind.
Heisenberg, der auch zu den bedeutendsten Gelehrten gehört,

schreibt irgendwo: »Es geht doch nicht, es ist doch nicht möglich, und doch ist es so«.

Die alten Gegensatzpaare wie Objekt–Subjekt, und damit die mentale Perspektivität, sind physikalisch gesehen hinfällig geworden. Das Konzept These–Antithese–Synthese, mit dem man so viel operiert hat, kann man nicht mehr halten. All das sind natürlich Manifestationen des neuen Bewußtseins, und zwar der Aperspektivität. Die Unanschaulichkeit des bisherigen physikalischen Weltbildes ist eine Tatsache.

Alle Versuche, die atomaren strukturellen Vorgänge darzustellen, sind als gescheitert zu betrachten. Fernerhin, die neuen bahnbrechenden Entdeckungen sind kein Zufall, sie können nur insofern stattfinden, als sie die Realisierung einer Disponiertheit für eine intensivere Bewußtseinsstruktur wahren. Die Gesamtheit aller möglichen Ereignisse bildet eine vierdimensionale Welt. Sie ist unvorstellbar. Die Unvorstellbarkeit hat arationales Gepräge, doch wird sie schließlich in Durchsichtigkeit umgesetzt, welche nun wiederum eine der typischen Eigenschaften der vierdimensionalen Struktur ist. Das mechanische Weltbild ist nicht mehr richtig. Und das rationale Denken reicht nicht mehr aus. Das ist eine ganze Revolution des Denkens. In früherer Zeit wurde uns oft gesagt, jetzt verstehst du das nicht, aber später wirst du das mal verstehen. Das gibt es nicht. Und da fällt sozusagen alles zusammen. Das kann man nur verstehen durch ein neues Weltbild, durch ein neues Bewußtsein. Wir können die Dinge nur auffassen entsprechend dem jeweiligen Bewußtsein. Genauso wie ein Kind nur auffassen kann in dem Maße, wie ein Kind es tun kann. Damit ist nichts verloren, im Gegenteil. Man sollte keine Angst davor haben. Natürlich, Leute, die verantwortlich sind für die Erziehung, in den Schulen unterrichten und die Professoren an den Universitäten, erfüllt das zunächst mit Besorgnis. Aber es geht ja nicht von heute auf morgen, und man sollte es jedenfalls positiv ansehen, sich dessen bewußt werden.

Aus: Aperspektivische Wirklichkeitserfahrung und Manifestationen des Aperspektivischen 1985

17 Biologie, oder: Die Überwindung des Dualismus

Die Auffassung des rhythmischen und evolutiven Ablaufs im bisherigen biologischen Geschehen wird verunsichert. Diskontinuierliche Akte konnten nicht mehr übersehen werden. Die Quantität Zeit nimmt Qualitätscharakter an. Sie verwandelt sich aus einer extremen, aus einer extensiven meßbaren Größe, in ein intensiveres Element nicht vorher bestimmbarer Wirksamkeit. Auch der Beweis für die zweckfreie Organbildung wurde erbracht. Alles das, worauf wir uns berufen mit unserer ganzen Logik, der ganzen Rationalität, ist in Frage gestellt. Der Dualismus organisch–anorganisch, Körper–Seele, Materie–Geist ist »überwunden«. Es heißt da Überwindung, und das ist sehr wichtig. Überwindung ist nicht identisch mit Abschaffung, es darf sich niemals darum handeln, die Basisvorstellung der Mutation abschaffen zu wollen, sondern lediglich ihre Ausschließlichkeit, d. h. also, es geht darüber hinaus. Das ist nicht dasselbe. Es ist auch nicht so, daß die Polarität an diese Stelle tritt, sondern das Integrationsprinzip, d. h. die sogenannte Zeitfreiheit. Sowohl Physik als Biologie haben also die Alleingültigkeit des Mentalen verlassen. Beide haben magische und mythische Konzepte integriert. Erst der vital-mythisch-mentale Dreiklang ermöglicht den Absprung in die vierte Dimension, die für die neue Bewußtseinsstruktur charakteristisch ist. Diese Raum-Zeit-Freiheit ist weder magisch-vital noch mythisch-psychisch noch mental-rational, sondern geistig. In diesem Sinne ist die vierte Dimension in ihrer Fülle der erste Ausdruck einer Konkretion des Geistes. Sie ist deswegen auch nicht systematisch faßbar, aber wohl in ihrer Gesamtheit wahrnehmbar.

Aus: Aperspektivische Wirklichkeitserfahrung und Manifestationen des Aperspektivischen 1985

18 Offenes Denken, oder: Die Philosophie ist zu Ende

Nun kommen wir zur Philosophie. Die Philosophie begann im Westen mit dem griechischen Denken. Die Mutation aus dem mythischen Bewußtsein hat sich im Westen vollzogen durch griechische Philosophie. Sie ist bei aller Anerkennung des Großen, was sie geleistet hat in den zweieinhalb Jahrtausenden ihres Bestehens, im bisherigen Sinne zu Ende. Da gibt es ein berühmtes Gespräch zwischen dem »Spiegel« und Heidegger. Heidegger war zu seiner Zeit gewiß eine Autorität auf dem Gebiete der Philosophie. Da bat ihn der »Spiegel« um ein Gespräch. Er sagte zu, unter einer Bedingung, daß das Gespräch erst veröffentlicht würde nach seinem Tod. Nach seinem Tod wurde es veröffentlicht. Es ist schon einige Jahre her. Gegen Ende des Gesprächs kam die Rede auf die Philosophie. Heidegger sagte dann ganz kurz: »Die Philosophie ist zu Ende«. Der Sprecher vom »Spiegel« sträubte sich und sagte: »Das geht doch nicht, Sie sind doch Philosoph, Herrn Professor«. Heidegger blieb dabei: »Die Philosophie ist zu Ende«. Das hat er vorausgesehen. In seinen Schriften spricht er auch etwa in diesem Sinne.

Bereits Kierkegaard setzte den Augenblick in Beziehung zur Ewigkeit und führte den Begriff Zeitlichkeit ein. Ihm folgte Bergson in seinem Werk »Zeit und Freiheit« (1911), in dem er die Zeitanalyse aufnahm, Zeit sei Zeugung oder sie sei schlechthin nichts. Damit wird sie vom Raum gelöst, also raumfrei, und erhält jene Eigenständigkeit, die durch bloße logische Deduktion niemals zusprechbar gewesen wäre. Das sind alles Manifestationen des Aperspektivischen.

Das mechanische Weltbild ist nicht mehr richtig, und das rationale Denken reicht nicht mehr aus. Heute sollten wir uns öffnen für das Neue, die höhere Bewußtseinsstufe, bei der das Denken ein offenes Denken sein wird, nicht ein geschlossenes, das auf den einen Punkt der Perspektive festgelegt ist.

Aus: Aperspektivische Wirklichkeitserfahrung und Manifestationen des Aperspektivischen 1985

19 Neues Bewußtsein und unbewußte Archetypen, oder: Wie vermeiden wir den dritten atomaren Weltkrieg?

Nun noch einige Bemerkungen zur Soziologie. Da ist die französische Revolution zu nennen. Tatsache ist, daß sie zunächst in eine ganz neue Richtung der Weltentwicklung ging. Aber die weitere Entwicklung war nicht dementsprechend. Heute liegt – wie es vielleicht schon damals hätte sein können – die Überwindung der Nationalität näher. Wir sind aber noch nicht sicher, ob wir einen dritten Weltkrieg mit Atomwaffen vermeiden können. Wir hoffen es. Ein Irrtum kann die ganze Welt in Brand stecken: Auch eine Folge unserer großen wissenschaftlichen Erfolge. Vielleicht muß das neue Bewußtsein erst kommen, bevor wir ganz sicher sind. Ich habe mit großem Interesse Capras »Wendezeit« (1983) gelesen und bin auch überzeugt, daß im wesentlichen richtig ist, was er sagt. Er hat ja auch die Fachleute der verschiedenen Gebiete wie Medizin und andere herangezogen. Es ist eine ganz gründliche Arbeit, aber ob der Mensch überhaupt imstande ist, nicht nur theoretisch zu verstehen, sondern auch praktisch zu tun, was er uns sagt, wenn da nicht noch etwas von dem neuen Bewußtsein hinzukommt... Es bedeutet nämlich auch gelegentlich große Opfer. Leute, die viel Besitz haben, müssen auf ihren Luxus verzichten, aber auch Betriebe, die Luxuswaren herstellen. Deswegen ist es so wichtig, daß wir uns bemühen, so gut wir können, dieses neue Bewußtsein konkret zu integrieren. Ich bin fest überzeugt, daß der Prozeß weitergeht. Wir sind heute schon viel weiter als vor 10 oder 20 Jahren, geschweige denn vor 50 Jahren. Es geht weiter. Und wenn wir dahin arbeiten, dann tun wir etwas für die Menschheit.
Hier hilft uns auch die Psychologie. Die Erforschungen des Unbewußten als einen Aspekt der vierten Dimension wird Generalthema bei Freud und Jung. Das brauchen wir nicht alles im einzelnen zu sagen. Bei Jung ist die Rede von Archetypen. Ich kann das hier nicht im einzelnen erklären.

Jedenfalls präformieren die Archetypen, ohne irgendwelche materielle Existenz zu besitzen; sie liegen der Psyche achromatisch zeitfrei und amateriell zugrunde. Aber mit dem Intellekt sind sie nicht zu erfassen. Damit ist die bloße Rationalität und bloße Irrationalität überdeterminiert worden. Die Archetypen sind jedenfalls etwas, das immer schon da war und immer da ist. Sie sind Urbilder, die der Psyche innewohnen und in Träumen, Phantasien, Mythen, Märchen, Dichtungen und anderen psychisch bedingten Manifestationen nachweisbar sind. Sie selbst sind sozusagen von »ewiger Präsenz«; das aber besagt, daß sie zeitfrei sind.

Aus: Aperspektivische Wirklichkeitserfahrung und Manifestationen des Aperspektivischen 1985

20 Teilhard de Chardin: Straße des Ostens und Straße des Westens

Teilhard de Chardin vereinigte in sich Eigenschaften oder Veranlagungen, die man selten in einer Person zusammen findet. Er ging das Thema der Evolution nicht nur von der Naturwissenschaft her an, sondern auch von der Philosophie und Theologie und überdies von eigener religiöser Erfahrung. [. . .]
Er sucht die Tatssache dieser Konvergenz auf den drei Gebieten der Physik, Metaphysik (Philosophie) und Mystik aufzuzeigen. Dieser Grundgedanke wird bekanntlich von Teilhard in allen seinen Werken immer wieder ausgesprochen. Nach ihm bewegt sich die ganze Evolution von Anfang an auf einen bestimmten Punkt hin, den er »Omega« nennt. Er versteht darunter »einen letzten und selbstsubsistenten Pol des Bewußtseins, der genügend in diese Welt hineingemischt ist, um in sich durch Vereinigung die kosmischen Elemente sammeln zu können, die bis zum äußersten ihrer Konzentration durch technische Anordnung gelangt sind – und der doch auf Grund seiner supraevolutiven (das

50

heißt transzendenten) Natur in der Lage ist, dem fatalen Rücktritt zu entrinnen, der (von der Struktur her) jegliche Konstruktion aus Raum- und Zeit-Stoff bedroht«. Der Punkt Omega ist für ihn der »universelle Christus«, der Christus der Parusie, der nach christlichem Glauben am Ende der Zeiten wiederkommt. Nach Teilhards Darstellung wird dieser universelle Christus schon im Bereich der Physik und Metaphysik irgendwie sichtbar. Man ist vielleicht versucht zu sagen, daß diese Sicht nur für einen Christen Gültigkeit haben kann. Damit wird man Teilhard jedoch nicht gerecht. Sein Gedankengang läuft umgekehrt. Er geht nämlich nicht von der Theologie aus, sondern von den Erkenntnissen, die er durch seine jahrelangen Forschungen gewonnen hatte. Dabei ist er jeweils in der Physik und Metaphysik auf eine Situation, eine Stufe der Evolution, gestoßen, auf der eben das, was mit dem universalen Christus gemeint ist, spontan wie eine Erfüllung aufleuchtet.

Im einzelnen auf die Zusammenhänge in der Physik und Metaphysik einzugehen, ist natürlich hier nicht möglich. Wohl aber scheint bezüglich des dritten Bereiches, der Mystik, zu dem, was Teilhard über den Unterschied zwischen der »Straße des Ostens« und der des Westens sagt, sich eine Berichtigung anzubieten. Er behauptet nämlich, daß für die Weiterführung der Konvergenz in diesem Bereich nur die westliche, gemeint ist die christliche Mystik, in Frage kommt. Die östliche sei nicht dafür geeignet, weil bei ihr »die mystische Einheit durch unmittelbare Unterdrückung des Vielen sichtbar und erreicht« werde. Er nennt das: »Pantheismus der Identifizierung«, »Geist der Entspannung«, »Einswerdung durch Koextension mit der Sphäre mittels Auflösung«. »Gemäß dem zweiten Weg (Straße des Westens) dagegen ist es unmöglich, eins mit dem Ganzen zu werden, ohne die zerstreuten Elemente, die uns bilden und umgeben, gleich in Richtung der Differenzierung und der Konvergenz bis ans Ende ihrer selbst voranzutreiben. Von diesem zweiten Standpunkt aus ist der ›gemeinsame Grund‹ des östlichen Weges nur eine Illusion.« Er nennt das »Pantheismus der Vereinigung (und folglich der Liebe), Geist der ›Anspannung‹, Einswerdung durch Konzentration und Hyperzentration im Zentrum der Sphäre«. Wohlbemerkt geht es Teilhard auch an dieser Stelle nicht um eine theologische Wertung von Buddhismus oder sonst einer nichtchristlichen Religion.

Es ist eine weit verbreitete Meinung, daß die östlichen Meditationsweisen wie Yoga, Zen und andere die sichtbare Welt, das »Viele«, wenn überhaupt noch als Wirklichkeit, so doch als ein Hindernis für die Erfahrung der letzten Wirklichkeit betrachten und es daher zu verdrängen suchen. Wenn das für einige Richtungen zutreffen sollte, so gewiß nicht für alle. Bei der [. . .] Zen-Meditation gilt das sicher nicht. Die Zen-Meister betonen ausdrücklich, daß im Zen nichts verdrängt wird. Nach ihnen ist die phänomenale Welt genauso wirklich wie die absolute. Beide sind nur verschiedene Aspekte der selben Sache. Ob Teilhard de Chardin das Zen näher gekannt hat, ist fraglich. Er scheint in Japan keine besonderen Forschungen gemacht zu haben und war ganz auf China konzentriert. Auch in Europa war damals das Zen noch wenig bekannt, geschweige denn praktiziert wie heute.

Aus: Wohin geht der Mensch 1981

III Veränderung des religiösen Bewußtseins

Wir stellen heute allenthalben eine tiefgreifende Veränderung des menschlichen Bewußtseins fest, sei sie religiös oder zunächst rein psychologischer Natur. Mit dem Aufkommen der Drogenwelle sind bewußtseinsverändernde Zustände empirisch erforscht worden. Im gleichen Zeitraum haben Versenkungswege wie autogenes Training, Yoga, transzendentale Meditation, Zen etc., zunehmend an Bedeutung gewonnen. Der Mensch ist auf der Suche nach seinem Selbst und hat viele Umwege gehen und erleiden müssen. Es ist geradezu natürlich, daß sich im Zuge der generellen Veränderung auch das religiöse Bewußtsein neu und anders formiert. Bisherige Strukturen in der christlichen Kirche des Westens werden in Frage gestellt und überdacht (21). »Die Frage ist, ob bei wachsender Kenntnis die Tiefe des Gemeinsamen trotz aller bleibenden Unterschiede nur immer eindringlicher sich zeigt«, so Karl Jaspers (22).
Können wir einer Katastrophe entrinnen, werden die geheimen Offenbarungen aus der heiligen Schrift schon bald Wirklichkeit?
Wenn wir uns weiterhin geradlinig weiterentwickeln, könnte der Mensch seiner eigenen Vernichtung in die Arme laufen (23). Nur mit einer weiteren Intensivierung des Bewußtseins, die die Überwindung des Dualismus zum Ziel hat, können wir uns gegen die Gefahr abschirmen.
Wir spüren heute deutlicher als je zuvor den großen Konflikt zwischen der älteren und jüngeren Generation, insbesondere auch im Hinblick auf religiöse Ansichten und Einstellungen (24). Über schmerzvolle Umwege finden viele in der Meditationserfahrung zu ihrer religiösen Heimat zurück. Plötzlich versteht man

*Texte der heiligen Schrift ganz neu (25), bekommt durch erken-
nende Erfahrung Zugang zu den eigentlichen Aussagen.*
*Die Weisheit und Spiritualität des Ostens haben uns neue Wege
eröffnet, mit Gott in uns selbst in Kontakt zu kommen (26). Nicht
mehr die mentale Intelligenz sollte dominieren, sondern das
spirituell erfüllte Bewußtsein (27). Enomiya-Lassalle würdigt
hier einen seiner Vorgänger, Sri Aurobindo, als Brückenbauer
zwischen Ost und West.*

*»Es ist eine junge und neue Welt, die jetzt im Entstehen ist, und es
ist die Jugend, die sie gestalten muß; unser Ideal ist eine Geburt
des Menschen im Geist, unser Leben muß eine spirituelle,
inspirierte Bemühung sein, einen Körper der Tat für die große
Geburt und Schöpfung zu bilden.«* Sri Aurobindo

21 Wandel des Bewußtseins

Wenn heute von Veränderung des Bewußtseins die Rede ist, so
wird dabei meist an eine Veränderung im individuellen Bewußtsein gedacht. Doch scheint sich gegenwärtig in der ganzen
Menschheit eine Bewußtseinsveränderung zu vollziehen, die
auch ohne Zutun des einzelnen einen tiefgreifenden Einfluß auf
den religiösen Bereich ausübt. Um dies zu verdeutlichen, ist es
bei der Vieldeutigkeit des Begriffs wohl angebracht, umrißhaft
anzudeuten, was hier mit Bewußtseinsveränderung gemeint
ist.
Bewußtseinsveränderungen vollziehen sich zwar konkret im Bewußtsein jedes einzelnen, können aber, wie die Vergangenheit
zeigt, die gesamte Menschheit betreffen. Obwohl der Gesamt-
prozeß des Wandels des Bewußtseins in der Menschheit von
dessen erstem Erwachen bis zur Gegenwart äußerst kompliziert
war, lassen sich doch Etappen unterscheiden, die sich in der
verschiedenen Formung des religiösen Bereichs widerspiegeln.

54

Da wir schon an anderer Stelle im Anschluß an Jean Gebsers »Ursprung und Gegenwart« diesen Gedanken zu verdeutlichen versucht haben, beschränken wir uns in diesem Beitrag auf das gegenwärtig vorherrschende Bewußtsein.

Das bis heute dominierende Bewußtsein erwachte in Europa etwa zur Zeit Platons, nämlich in Verbindung mit seiner Konzeption der »Ideen« als Grundlage allen Weltverständnisses. Im Laufe der Jahrhunderte setzte es sich immer mehr durch, verdrängte im Westen frühere Bewußtseinsstufen bis auf wenige Reste und beherrscht bis zur Gegenwart Europa, Amerika sowie einige Teile Asiens. Kennzeichnend für dieses Bewußtsein ist das begriffliche Denken, dem die Menschheit große Errungenschaften in Wissenschaft und Technik verdankt. Der Einfluß dieses »mentalen« Bewußtseins ist im Westen allgemein weit stärker gewesen als im Osten. Wer beide Teile der Welt ein wenig kennt, wird bemerkt haben, daß der mentale Einfluß in den Religionen um so mehr abnimmt, je weiter man nach Osten geht. Unter den Religionen hat sich das mentale Bewußtsein vor allem im Christentum ausgewirkt. Es ist ja gerade in jenem geschichtlichen Augenblick entstanden, als sich dieses Bewußtsein, vor allem in der Gestalt der griechischen Philosophie, völlig etabliert hatte. Philosophie im traditionellen Sinne war und ist nur innerhalb des mentalen Bewußtseins möglich. Erleichtert wurde die breite Auswirkung dieses Bewußtseins dadurch, daß damals ganz Europa, soweit es erschlossen war, für mehrere Jahrhunderte im römischen Reich geeint war. Auch die christliche Theologie, wie wir sie heute kennen, wurde zu jener Zeit entwickelt und war erst innerhalb dieses Bewußtseins möglich.

Da sich das religiöse Bewußtsein jeweils mit dem vorherrschenden allgemeinen Bewußtsein ändert, ist auch eine Meditationsweise wie etwa das Zen in seinen Auswirkungen auf das religiöse Bewußtsein an die Grenzen des jeweiligen allgemeinen Bewußtseins gebunden. Wenn sich allerdings das allgemeine Bewußtsein im Zustand des Wandels befindet, so kann eine Meditationsweise je nach ihrer Art diese Entwicklung fördern oder hemmen. Dabei ist jedoch festzuhalten, daß keine Meditationsweise ein

neues allgemeines Bewußtsein einfachhin verursachen kann. Die
Anlage für eine neue Bewußtseinsstufe ist vielmehr schon vorge-
geben. Sie entwickelt sich aber nicht allmählich, sondern erwacht sprunghaft. Der Mensch kann einen solchen Prozeß nicht
willkürlich auslösen. Dem modernen Menschen mag es im Blick
auf seine geschichtlichen Leistungen schwerfallen, diese Grenze
seiner Verfügungsgewalt anzuerkennen. Aber gerade für eine
Bewußtseinsveränderung gibt es keinen archimedischen Punkt,
von dem aus sich die Welt aus den Angeln heben ließe. Anderseits ist der gesamte Prozeß der aufeinander folgenden Bewußtseinsveränderungen kein dunkles Geschick, da er stets nach
vorn, auf das Ziel eines vollkommeneren Menschseins hin ausge-
richtet ist.

Aus: Verändert die Praxis des Zen das religiöse Bewußtsein? 1983

22 Veränderungen des Bewußtseins in der Achsenzeit nach K. Jaspers

Daß sich zur Zeit der Anfänge des bis heute dominierenden
Bewußtseins gewaltige Änderungen auf religiösem Gebiet an-
bahnten, betont auch Karl Jaspers mit dem Begriff der »Achsenzeit« [der gleichzeitige geistige Aufbruch vom Mythos zur Refle-
xion (800–200 v. Chr.), mit dem Höhepunkt bei Buddha, Konfu-
zius, Laotse, den griechischen Philosophen und den Propheten
Israels um 500 v. Chr.], wie er ihn in seinem Werk »Vom
Ursprung und Ziel der Geschichte« [1949] entwickelt hat.
Zu jener Zeit ereignete sich, wie Jaspers ausführt, an mehreren
Stellen der Welt gleichzeitig, doch unabhängig voneinander auf
religiösem Gebiete ein außergewöhnlicher geistiger Aufbruch. In
diesem Zusammenhang zitiert er E. von Lasaulx [Neuer Versuch
einer alten auf die Wahrheit der Tatsachen gegründeten Philosophie der Geschichte, 1855]: »Es kann unmöglich ein Zufall sein,
daß ungefähr gleichzeitig, sechshundert Jahre vor Christus, in

Persien Zarathustra, in Indien Gautama-Buddha, in China Konfutse, unter den Juden die Propheten, in Rom der König Numa und in Hellas die ersten Philosophen, Jonier, Dorier, Eleaten, als Reformatoren der Volksreligion auftreten.«

Zu dem Einwand, daß das Gemeinsame nur scheinbar sei, nimmt Jaspers folgendermaßen Stellung: »In der Achsenzeit handelt es sich gerade um das Gemeinsame in einem Geschichtlichen, um den Durchbruch zu den bis heute gültigen Grundsätzen des Menschseins in den Grenzsituationen. Wesentlich ist hier das Gemeinsame, das gerade nicht überall auf der Erde dem Menschen als solchem, sondern geschichtlich nur diesen drei Ursprüngen auf schmalem Raum entstammt. Die Frage ist, ob bei wachsender Kenntnis die Tiefe dieses Gemeinsamen trotz aller bleibenden Unterschiede nur immer eindringlicher sich zeigt. Dann wird die zeitliche Koinzidenz ein Tatbestand, über den wir um so mehr uns wundern, je klarer wir ihn uns vergegenwärtigen.«

Aufschlußreich ist besonders, was Jaspers auf das Bedenken erwidert, diese Parallelen hätten keinen geschichtlichen Charakter, sofern Geschichte kausale Kontinuität besagt: »Wir leugnen gerade die Stufenfolge China bis Griechenland – sie besteht weder zeitlich noch sinnhaft –, vielmehr geschieht hier ein Nebeneinander in der gleichen Zeit ohne Berührung. Mehrere voneinander im Ursprung getrennte Straßen scheinen zunächst zum gleichen Ziel zu führen. Es ist eine Mannigfaltigkeit des Gleichen in drei Gestalten. Es sind drei selbständige Wurzeln einer später – nach unterbrochenen Einzelberührungen endgültig erst seit einigen Jahrhunderten, eigentlich erst seit heute – zu einer einzigen Einheit werdenden Geschichte.«

Schließlich kommt Jaspers zu dem Ergebnis: »Es wird mir immer unwahrscheinlicher, daß dieser Gesamtaspekt der Achsenzeit ein täuschendes Spiel historischen Zufalls ist. Vielmehr scheint sich darin etwas in der Tiefe Gemeinsames, ein Ursprung des Menschseins zu zeigen. Was später folgte bei wachsender Divergenz, das bringt noch gelegentliche Analogien, bringt Kennzeichen der gemeinsamen Herkunft aus Verwandtem, aber nicht wieder im Ganzen jene ursprüngliche wirkliche Sinngemeinschaft.«

Die überraschende Gemeinsamkeit der drei geschichtlichen Ursprünge drängt Jaspers die Frage nach der Ursache dieses Tatbestandes auf: »Es ist zunächst etwas scheinbar Äußerliches, daß die drei im Ursprung sich gegenseitig nicht kennen, – aber es ist ein geschichtliches Geheimnis, das uns bei fortschreitender Erforschung des Tatbestandes nur immer größer wird. Die Achsenzeit mit ihrem überwältigenden Reichtum geistigen Schaffens, von dem alle menschliche Geschichte bis heute bestimmt ist, ist begleitet von dem Rätsel, daß in drei Gebieten unabhängig voneinander das Analoge, Zueinandergehörende geschieht.« Die Frage nach einem geschichtlichen Grund verschärft sich für Jaspers dadurch, daß es sich um einen Aufbruch innerhalb der Menschheit auf kleinem Raum, keineswegs um den aller Menschen handelt. Nicht eine allgemeine Menschheitsentwicklung zeigt sich hier, sondern ein »eigentümlicher verzweigter geschichtlicher Vorgang«. Er weist nach, daß die verschiedenen Erklärungsversuche für diesen Aufbruch unzureichend sind, und fügt hinzu: »Niemand kann zureichend begreifen, was *hier geschah und zur Achse der Weltgeschichte wurde*! Der Tatbestand dieses Durchbruchs ist zu umkreisen, in mannigfachen Aspekten festzuhalten, in seiner Bedeutung zu interpretieren, um ihn vorläufig als wachsendes Geheimnis vor Augen zu gewinnen.« Doch verwahrt er sich gegen die Vermutung, er meine damit einen Eingriff Gottes, ohne es klar auszusprechen. Vielmehr möchte er nur »die Frage offen halten und möglichen neuen Erkenntnisansätzen, die wir uns noch gar nicht vorwegnehmend vorstellen können, Raum lassen«.

Vielleicht ist die Antwort auf diese Frage durch J. Gebser gegeben worden, nämlich in der Darlegung der Bewußtseinsveränderungen in »Ursprung und Gegenwart«. Die Tatsache, daß sich die Entwicklung, wie Jaspers sie versteht, nicht in der ganzen Menschheit, sondern nur in einem verhältnismäßig kleinen Teil davon abspielte, ist kein Beweis gegen eine allgemeine Bewußtseinsveränderung. Denn jede neue Bewußtseinsstruktur wird nicht sogleich in der ganzen Menschheit verwirklicht. Es kann lange Zeitspannen benötigen, bis sich die Veränderung in der Menschheit als ganzes durchsetzt. Jedenfalls scheinen sich die Darstellungen von Jaspers und Gebser gegenseitig zu bekräftigen.

Die Frage nach dem Sinn der Achsenzeit, also nach dem, was der Menschheit daraus erwächst, beantwortet Jaspers in drei Punkten, die hier nur knapp angedeutet seien. (a) Wenn man sich den Tatbestand der Achsenzeit wirklich zu eigen macht, so gewinnt man etwas, das der ganzen Menschheit, über alle Unterschiede des Glaubens hinweg, gemeinsam ist. (b) Darin liegt die Aufforderung zur grenzenlosen Kommunikation, deren Möglichkeit sich aus der Gemeinsamkeit des dreifachen Ursprungs ergibt. Das sei auch ein Mittel gegen die »Irrung der Ausschließlichkeit einer Glaubenswahrheit«, die im Abendland soviel Unheil gestiftet habe. (c) Schließlich bleibt die Frage, ob diese Zeit und ihre Schöpfungen Maßstab für alles Spätere seien. Jaspers antwortet darauf nicht einfach im bejahenden Sinn. Die entsprechende Frage im Sinne von Gebsers Lehre der Bewußtseinsstufen wäre: Wird das mentale Bewußtsein für alle Zeit dominierend bleiben? Darauf versucht nun der Hinweis auf das neue Bewußtsein zu antworten.

Aus: Verändert die Praxis des Zen das religiöse Bewußtsein? 1983

23 Unsere Bedrohung: Ungleichzeitigkeit des Bewußtseinswandels

Die großen Entdeckungen der letzten Jahrzehnte wurden erst auf dem Hintergrund der vierten Dimension möglich. Man denke nur an die Freilegung der Kernenergie, die man in diesem Zusammenhang nicht zunächst von ihrer Gefahrenseite her werten darf, sondern als Frucht einer positiven Entwicklung des menschlichen Bewußtseins. Gewiß hat der Mensch schon vor Entdeckung der vierten Dimension mit Hilfe des mentalen Bewußtseins auf allen Gebieten, zumal in Technik und Naturwissenschaft große Leistungen vollbracht, von denen sich ein Mensch des magischen oder mythischen Bewußtseins noch keine Vorstellungen machen konnte. Doch stehen wir heute schon in der Dekadenzphase des mentalen Bewußtseins, in der allen bloß mentalen Leistungen eine Schattenseite anhaftet. Wenn die Entwicklung geradlinig so weiterliefe, könnte es dahin kommen, daß die Menschheit sich selbst zu vernichten imstande ist. Dieser Entwicklung läßt sich nur entkommen, wenn der Mensch durch eine weitere Intensivierung des Bewußtseins fähig wird, sich gegen diese Gefahr abzuschirmen. Das aber leistet das neue Bewußtsein, weil der Mensch darin vom extremen Dualismus des Subjekt-Objekt-Schemas und dem unerbittlichen Entweder-Oder bloßer Rationalität befreit wird.

Allgemein gesehen, besteht die Befreiung von einer jeweils um eine Dimension ärmeren Bewußtseinsstruktur in der Befreiung von der ausschließlichen Gültigkeit dieser Struktur. In diesem Fall besagt das, daß der Mensch von der ausschließlichen Gültigkeit des rationalen Denkens befreit werden muß. Damit verliert das rationale Denken gewiß nicht schlechthin seine Gültigkeit. Sie bleibt bestehen, aber innerhalb gewisser Grenzen. Vielen, vielleicht den meisten Menschen unserer Zeit – wenigstens in den westlichen Kulturkreisen – mag es einfachhin unverständlich erscheinen, daß es noch ein Denken geben könne, das über das rationale Denken hinausgeht. Doch läßt sich wohl kaum leugnen, daß ein bloß logisches, berechnendes Denken die Menschheit gegenwärtig in Not und Bedrängnis gebracht hat und ständig noch tiefer in eine Sackgasse hineintreibt. Zudem hat es neben dem gegenständlichen Denken schon immer ein anderes Denken gegeben, wenigstens bei einzelnen Menschen.

Das gegenständliche Denken ist nun wesentlich durch einen Horizont begrenzt, wenn dieser Horizont auch immer weiter hinausgeschoben werden kann. Das wird in der Technik deutlich, wo etwa immer bessere Flugzeuge hergestellt werden können und doch jeweils eine Grenze bleibt. Im neuen Denken wird dieser Horizont gesprengt oder durchstoßen. Natürlich kann man auch mit dem neuen Denken nicht etwa Flugzeuge von unendlicher Geschwindigkeit bauen. Gemeint ist vielmehr, daß das neue Denken ein offenes Denken ist, das grundsätzlich über die Grenzen des gegenständlichen Denkens hinausgeht. Koshiro Tamaki, emeritierter Professor der Tokyo-Universität, nennt es das ganz persönliche Denken; dieses werde nicht allein durch den Verstand bestimmt, sondern ebenso auch durch Intelligenz, Gefühl, Willen, Geist und Leib. Es umfaßt also das Ganze des Menschseins. Man darf hinzufügen, daß diesem Denken sich das Ding an sich erschließt, das hinter den Begriffen liegt, die das gegenständliche Denken ausmachen und daher nicht das Ding selbst begreifen. Es ist also ein ganzheitliches Denken, das nicht bedingungslos an das rationale Denken gebunden ist. Dieses Denken sieht durch das, was rational widersprüchlich erscheint, hindurch und überwindet so den Gegensatz.

Weil die Überwindung der Widersprüche im Hindurchsehen durch sie im neuen Bewußtsein möglich ist, kann es den Menschen aus der Bedrängnis befreien, in die er sonst immer mehr hineingerät, bis er keinen Ausweg mehr sieht. Verzweifeln heute nicht viele am Schicksal der Menschheit und meinen, sie müsse früher oder später an einer Katastrophe zugrundegehen? Auch wer den Gedanken an die Zukunft zu vermeiden sucht, weiß sich von dieser Gefahr bedroht.

Aus: Verändert die Praxis des Zen das religiöse Bewußtsein? 1983

24 Wiederfinden der religiösen Heimat

Wenn es auch immer schon Unterschiede im Denken der älteren und jüngeren Generation gab, so ist dieser doch heute viel größer und wesentlicher als in früheren Zeiten. Das gilt nun ganz besonders für das religiöse Gebiet. So meinen heute viele Menschen, die christlich erzogen wurden, mit dem besten Willen nicht mehr an das glauben zu können, was man sie in der Kindheit gelehrt hat. Dennoch erwacht in ihnen oft ein Verlangen nach etwas, was sie nicht benennen können und ihnen doch als wichtiger erscheint denn alles andere. Und weil sie es in dem Christentum, wie sie es einmal ihr eigen nennen konnten, nicht mehr finden, wenden sie sich nach Asien, um eben das zu suchen, was ihren Hunger sättigen kann. Manche finden dann nach einem langen Umwandlungsprozeß gerade dort das Christentum wieder, wo sie es am wenigsten erwartet haben. Sie verlieren es dann kein zweites Mal, weil sie es nun wirklich integriert haben. Andere finden das Gesuchte in anderen Religionen. Das dürfte nur selten voll und ganz gelingen, da sie die 2000 Jahre Christentum (man könnte auch noch 1000 Jahre Judentum hinzuzählen) in ihren Vorfahren nicht vollständig abstreifen können. Sie treten dann formell zu einer nicht-christlichen Religion über, bleiben aber, wenn auch nun in negativer Form, der Beziehung zum Christentum verhaftet, was sich nicht selten in sich ständig verschärfenden Vorurteilen und Anklagen gegen alles Christliche äußert. Es braucht einen langen, schmerzvollen Prozeß, eine andere Religion wie etwa den Buddhismus innerlich anzunehmen. So ist es bezeichnend, daß Menschen, die im Buddhismus aufgewachsen sind, oft weniger Vorurteile gegen das Christentum haben als jene, die vom Christentum zum Buddhismus überwechselten. So trifft man häufig buddhistische Zenmeister, die dem Christentum positiv gegenüberstehen. Manche von ihnen lesen die Heilige Schrift und zitieren sie in den Ansprachen an ihre Schüler.

Aus: Verändert die Praxis des Zen das religiöse Bewußtsein? 1983

25 Ein neuer Zugang zur Heiligen Schrift

Christen, die lange die Zenmeditation üben, finden dadurch nicht selten einen neuen Zugang zur Heiligen Schrift. Diese neue Art des Verstehens ist nicht mehr rational; sie besteht auch nicht

rin, daß ihnen beim Lesen oder Nachdenken über den Text
irgendeine religiöse Einzelerkenntnis aufgeht, denn damit blieben sie immer noch auf derselben Stufe wie zuvor. Vielmehr
lesen sie die Worte zwar ganz bewußt, schauen dabei aber
gewissermaßen hindurch bis zu der Realität, die hinter den
Worten und Begriffen steht. Dabei ist der ganze Mensch angesprochen, ähnlich wie beim ganz persönlichen Denken, das oben
erwähnt wurde. Das Ergebnis ist nicht eine Erkenntnis, die durch
Worte mitgeteilt werden könnte, und doch ist es eine erkennende
Erfahrung, die mit reiner und tiefer Freude verbunden ist. Alle
Unstimmigkeiten, die dem Wortlaut nach im Text enthalten sein
mögen und zunächst das Verständnis behindern könnten, lösen
sich auf und werden nicht mehr als solche empfunden. Sie sind
nicht mehr wichtig, da die Wirklichkeit unmittelbar erfaßt wird.
Hier begegnet der Christ Christus unmittelbar, wohin ja Kirche
und Theologie zutiefst führen wollen. Dabei handelt es sich nicht
um eine zusätzliche Erkenntnis, sondern um eine Intensivierung
des gläubigen Wissens, das man schon in etwa besitzt. Man
könnte sagen: Der Glaube tritt ins Schauen ein. In diesem
Schauen, das ja auch ein Grundanliegen des neuen Bewußtseins
ist, vergeht jeder Zweifel, denn hier schaut die Seele durch ihre
Tiefe das umfassende Sein. Gewiß gibt es auch andere Meditationsweisen, die eine ähnliche Wirkung haben und das religiöse
Bewußtsein verändern. Doch dürfte das nur bei den ungegenständlichen Methoden möglich sein, denn Gedanken und Überlegungen versperren den Weg dazu. Wohl können andere Meditationsweisen, in denen ja auch ein überrationales Element verborgen ist, indirekt dazu helfen, wenn sie zur rechten Zeit eingestellt
werden und die ungegenständliche Meditation an ihre Stelle
tritt. Das bestätigt auch Johannes vom Kreuz: »mit all diesen
Wahrnehmungen und bildhaften Visionen und irgendwelchen
anderen Formen oder Vorstellungen, wie sie sich unter Bildern
oder Einzelerkenntnissen darbieten mögen [. . .], darf sich der
Verstand nicht belasten, noch sich von ihnen nähren«.

Aus: Verändert die Praxis des Zen das religiöse Bewußtsein? 1983

26 Das Vakuum im Westen und das östliche Angebot

Schon vor dem ersten Weltkrieg, aber noch mehr danach herrschte ein großes Interesse für Exerzitien, sei es im Sinn der ignatianischen Exerzitien oder anderer Weisen, bei denen vor allem, wenn auch nicht ausschließlich gegenständlich meditiert wurde. Allenthalben wurden große Exerzitienhäuser gebaut, und sie füllten sich. Durch die weitere politische Entwicklung wurde diese geistige Bewegung immer mehr behindert, bis schließlich der zweite Weltkrieg ausbrach. Nach Kriegsende konnte man nicht, wie nach dem ersten Weltkrieg, eine neue religiöse Bewegung feststellen. Die Jugend hatte weitgehend ihren Glauben verloren. Exerzitien im traditionellen Sinn gab es zwar noch und begannen wieder aufzuleben, aber bei weitem nicht mehr so stark wie früher. Viele Exerzitienhäuser standen leer und wurden anderen Zwecken zugeordnet. Zunächst langsam, doch unaufhaltsam drangen nun östliche Meditationsweisen in den Westen vor, erst Yoga mehr im Sinne von körperlichen Übungen und dann auch Zen. Heute ist der Westen von diesen östlichen Angeboten geradezu überschwemmt.

Wenn östliche Meditation solch regen Zuspruch findet, so ist dies nicht in erster Linie einer geschickten Propaganda zu verdanken, sondern offenbar einem Vakuum, das sich im religiösen Bewußtsein des westlichen Menschen ausgebreitet hatte. Die breiten Volkskreise reagieren darauf intuitiv, ohne sich um theoretische Bedenken gegen östliche Meditation zu kümmern, wie sie gelegentlich von einer dem gegenwärtigen Bewußtsein nicht mehr voll angemessenen Philosophie oder Theologie vorgetragen werden. Wer an einem Bewußtsein festhält, das nicht mehr voll gültig ist, verliert unweigerlich, so bitter dies sein mag, Stimme und Einfluß in der Gegenwart.

Viele Menschen empfinden heute das Denken in der Meditation eher als Hindernis auf ihrem Weg zu Gott. Auch Gottesbeweise helfen ihnen nicht weiter, denn sie verlangen nach Gotteserfahrung. Sie spüren, daß sie nur auf dem Weg der Erfahrung zur

Vereinigung mit Gott gelangen können. Da bietet sich ihnen das Zen an, das an keine Weltanschauung gebunden ist und daher auch dem Christen helfen kann, zur Erfahrung Gottes zu kommen, ohne vom christlichen Glauben Abstriche machen zu müssen. Die allgemeine Suche nach religiöser Erfahrung erwächst aus der unreflexen Einsicht, daß die Alleingültigkeit des rationalen Denkens an ihre Grenze gestoßen ist. In diesem Wandel des Bewußtseins liegt es begründet, wenn heute die Zenmeditation und andere ungegenständliche Meditationsweisen breiteren Anklang finden als die gegenständlichen, denen in westlichen Kulturkreisen in der Vergangenheit der Vorzug gegeben wurde.

Ist auch die unreflexe Einsicht in die Notwendigkeit des neuen Bewußtseins weit verbreitet, so taucht doch, sobald das neue Bewußtsein zum ausdrücklichen Thema wird, in vielen Menschen das Bedenken auf, wie dieses denn mit der traditionellen christlichen Philosophie und Theologie und deren praktischen Erscheinungsformen zusammengehe. So berechtigt diese Sorge auch sein mag, zumal bei Menschen, die auf diesem Gebiete besondere Verantwortung tragen, so läßt sich das neue Bewußtsein doch nicht aus dem Grund bestreiten, daß es eine Gefahr für das bisherige Denken sei. Denn in der Frage nach dem neuen Bewußtsein geht es zunächst nicht um eine Sollens-, sondern um eine Tatsachenfrage. Das neue Bewußtsein, das in der Anlage schon immer da war, erwacht unausweichlich von selbst, wenn seine Zeit gekommen ist. Anstatt die Möglichkeit eines neues Bewußtseins von vornherein abzulehnen, sollten sich gerade jene, die für die geistig-religiöse Entwicklung Verantwortung tragen, bemühen, die gegenwärtige Lage klar zu sehen, sich positiv auf sie einzustellen, um sich dann zu fragen, was denn nun zu tun sei. Aus einer solchen aufgeschlossenen Einstellung werden sich dann mit der Zeit Lösungen der Probleme ergeben, an die früher niemand zu denken wagte. Diese schöpferische Aufgabe wird um so eher gelingen, als der Mensch in Treue zur Seinserfahrung des neuen Bewußtseins steht.

Aus: Verändert die Praxis des Zen das religiöse Bewußtsein? 1983

27 Sri Aurobindo: Konkrete Erziehung zur Veränderung des religiösen Bewußtseins

Bald nach der Gründung des Ashrams in Pondicherry [Indien] übertrug Aurobindo die Leitung im Jahr 1920 seiner Mitarbeiterin Mir Alsfassa, der »Mutter«. Er selbst zog sich vollkommen von der Öffentlichkeit zurück, bis er 1950, wie es heißt, seinen Körper verließ. Auroville, die Stadt des Zukunftsmenschen, wurde erst 1968, 18 Jahre später, gegründet, obwohl sie vermutlich schon Aurobindo vorgeschwebt hatte. Jedenfalls geschah die Gründung in seinem Sinn. Die Leitung dieser neu gegründeten Stadt wurde der »Mutter« noch neben der Verwaltung des Ashrams übertragen, bis sie im hohen Alter von 96 Jahren Ende 1973 starb.

Aurobindo hat seine Auffassung in vielen Schriften dargelegt. Auch er spricht von einer Bewußtseinsveränderung, die geschehen muß. [...]

Der Ashram in Pondicherry hat den Zweck, in gemeinsamer Arbeit auf dieses Ziel hinzuarbeiten. Daher ist er nicht wie die anderen Ashrams als Stätte der Meditation und des Friedens gedacht, sondern als ein »eiserner Hammer«, wie Aurobindo selbst gesagt hat. Er ist eine Stätte der Arbeit; denn jede Arbeit oder Beschäftigung kann diesem Zweck dienen. Aurobindo sagt dazu: »Ich will nicht Hunderttausende von Schülern. Es würde genügen, wenn ich hundert vollständige Menschen bekommen könnte, die frei von kleinlicher Ichsucht zu Werkzeugen Gottes werden wollen.«

Manches an dieser Städtegründung [von Auroville] wird auf den ersten Blick unzulänglich oder sogar unverständlich erscheinen, wenn man von den Richtlinien, die sonst bei Städtegründungen gelten, ausgeht. Aber man muß das Ziel der Gründung dieser Stadt im Auge behalten, nämlich für das neue Bewußtsein möglichst günstige Bedingungen zu schaffen.

Von Anfang an wurden keine festen Regeln und Gesetze aufgestellt. Die Formulierungen sollten dem allmählich wirksam werdenden supramentalen Bewußtsein überlassen bleiben. Man ging daher auch bewußt jeder Systematisierung aus dem Weg. Nicht mehr die mentale Intelligenz sollte dominieren, sondern das spirituell erfüllte Bewußtsein. Aurobindo selbst hatte die Weisung gegeben: »Es ist eine junge und neue Welt, die jetzt im Entstehen ist, und es ist die Jugend, die sie gestalten muß; unser Ideal ist eine Geburt des Menschen im Geist, unser Leben muß eine spirituelle, inspirierte Bemühung sein, einen Körper der Tat für die große Geburt und Schöpfung zu bilden.« Das war gewiß ein Wagnis. Denn es fehlte eine starre Regierungs- und Organisationsform.

Die Kindererziehung sollte von den Gewohnheiten der Vergangenheit abweichen. Das Hauptgewicht sollte darauf gelegt werden, daß sich in den Kindern das neue Bewußtsein ungehindert entfalten konnte. Das sollte vor allem für die ersten Schuljahre gelten. Die Kinder sollten mehr durch Tun lernen als durch Studium. Der Lehrer soll dem Kind helfen, die innere Führung zu finden. Das setzt allerdings voraus, daß der Lehrer das bei sich selbst gelernt hat. Außer den Bereichen der Erziehung, die auch sonst bekannt sind, wird die Entwicklung des mentalen Schweigens, die völlige Stille, betont, die eine immer umfassendere Empfänglichkeit für die Inspirationen ermöglichen soll, die aus solchen Bereichen des Wesens kommen. »In einer großen Anzahl der Kinder ist dieser Einfluß wirksam, der sich oft sehr deutlich in ihren spontanen Handlungen und selbst in ihren Worten fühlbar macht. Unglücklicherweise wissen die Eltern meistens nicht, was das ist, und verstehen nicht, was in ihrem Kinde vor sich geht.« Eine weitere Eigentümlichkeit in der Erziehung ist, daß das Kind sich frei in den Werkstätten des Ashrams bewegen kann, wo dann auch Lehrer bereit stehen, die ihm die Antwort auf seine Fragen geben können. Eine andere, ganz dem Zweck entsprechende Eigenart ist, daß es keine Zeugnisse gibt und kein Standesdünkel entwickelt wird. Nur »Freude an der Zukunft und die Bereitschaft, ununterbrochen zu lernen, wird gefordert«. Die Erziehung soll spontan sein am Traktor, an einer Glühbirne und anderen Gegenständen, wie es gerade kommt. Die Betonung liegt auf der Bereicherung und Erweiterung des Bewußtseins. Die meisten Kinder brauchen kaum beaufsichtigt zu werden. Sie erziehen sich selbst.

Folgende Verhaltensweisen sollen helfen, den Menschen für die Integrierung des Übermentalen, also des eigentlich Geistigen zu disponieren: Die Überzeugung, daß der Verstand nicht imstande ist, das Spirituelle wirklich zu erfassen, der Verzicht auf jedes Streben nach Bequemlichkeit, Genuß und Vergnügen; der Versuch, an allem, was man tut, Freude zu haben, ohne daß das Vergnügen zum Motiv des Handelns wird; nie aufgeregt, gehetzt oder nervös zu werden; das Bemühen, die Ereignisse auf der psychischen Ebene niemals für das zu halten, was sie zu sein scheinen. Nie über das Verhalten eines Menschen zu klagen, wenn man nicht imstande ist, ihn seiner Natur nach zu ändern. Nie das Ziel vergessen. Alles ist gleich wichtig. Vor dem Essen einige Sekunden warten und wünschen, daß die Nahrung helfe zur Verwirklichung der großen Entdeckung. Dasselbe gilt für alles, was man tut. Vor dem Schlafen sich konzentrieren auf das Bestreben, daß der Schlaf die Kraft geben möge, am nächsten Morgen den Weg zur großen Entdeckung wieder aufnehmen zu können. Bevor man spricht, gerade so lange zu warten, bis man die Worte überprüft hat, und nur die wirklich notwendigen sprechen, und in keiner Weise sprechen, wie es dem Weg hinderlich sein kann. [. . .]

Das psychische Leben ist das unsterbliche Leben. Im Unterschied dazu bedeutet das spirituelle Bewußtsein, das Unendliche und Ewige zu leben, jenseits von Zeit und Raum. Um ein seelisches Leben zu führen, muß alle Ich-Haftigkeit beseitigt werden. Um das spirituelle Leben zu führen, darf man kein Ego mehr haben. Die supramentale Erziehung soll also nicht so sehr eine Entwicklung der menschlichen Natur und eine Entfaltung seiner latenten Befähigungen bewirken als vielmehr eine Transformation der Natur als solcher, eine Transformation des Seins in seiner Totalität, einen neuen Aufstieg der menschlichen Gattung über den jetzigen Menschen hinaus zum Menschen der Zukunft, um schließlich zu einer göttlichen Menschheit auf der Erde zu führen.

In der ganzen Konzeption Aurobindos wird auch der Körper ernstgenommen und damit auch die Arbeit. Davon kann sich jeder überzeugen, der den Ashram in Pondicherry besucht. Die Vervollkommnung des Körpers hat zwei Voraussetzungen, nämlich das Erwachen des Körperbewußtseins und ein so vollständig als mögliches Erwecken und Erziehen seiner Fähigkeiten, ebenfalls so total, so vollkommen und vielseitig wie möglich. [. . .] Schon bald nach dem Tod der »Mutter« entstanden Spannungen zwischen dem Ashram und Auroville. [. . .] Zunächst muß man wissen, daß die bisherigen Bewohner von Auroville, die sich dort um die Verwirklichung der Vision Aurobindos bzw. der »Mutter« bemühten, zum größten Teil von anderen Teilen der Welt, besonders von Europa, eingewandert sind. Ihre Zahl beträgt gegenwärtig etwa 300, und zwar meist junge Menschen. Hinzu kommen ungefähr 100 Inder. [. . .] Ferner besteht eine gewisse Gefahr, daß Auroville, nachdem nun seine Existenz einigermaßen gesichert ist, seine Identität verliert. Jedermann weiß nämlich von dem ständig fließenden Strom junger suchender Menschen, die vom Westen nach Indien und anderen ostasiatischen Ländern ziehen. Diese Menschen sind zum weitaus größten Teil aufrichtig Suchende. Darüber besteht kein Zweifel, ganz gleich, in welcher äußeren Gestalt sie auftreten. Sie wissen, daß es Ashrams gibt, in denen sie billig leben und vielleicht auch finden können, was sie suchen, oder wo doch die Möglichkeit besteht, auf diese Weise ein Stück weiter zu kommen. Auch Auroville ist wenigstens in Europa, besonders in Frankreich und Deutschland, gut bekannt und hat als »Stadt der Zukunft« noch eine besondere Attraktion. Die Tatsache, daß die Einzelgemeinschaften nach Sprachen verschieden sind, bietet zudem für viele die Möglichkeit, in eine Gemeinschaft zu kommen, in der ihre Muttersprache verstanden und gesprochen wird. Man hört schon jetzt, daß viele der jungen Leute, die in Auroville sind bzw. dorthin kommen, nicht jenes hohe Ziel im Auge haben, für das Auroville gegründet wurde. Sie wissen auch nicht, was von ihnen verlangt wird, wenn sie an der Verwirklichung dieses Zieles mitarbeiten wollen. Ursprünglich waren die Bedingungen für die Aufnahme in Auroville sehr streng, bisweilen geradezu hart. Wie immer es gegenwärtig damit steht, ist die Aufnahme durch die Aufsplitterung in kleine Gemeinschaften schwer zu kontrollieren.

Man darf hoffen, daß die genannten Schwierigkeiten mit der Zeit überwunden werden und Auroville seine Berufung zum Besten der Menschheit erfüllt.

Aus: Wohin geht der Mensch 1981

IV Meditation und Gotteserfahrung

Enomiya-Lassalle hat sehr früh erkannt, daß ein großes Verlangen besteht, das ursprüngliche glückselige Einssein wiederzufinden, welches viele Menschen von heute in ihrem traditionellen Glauben nicht mehr zu finden vermögen. Die Meditation ist ein wichtiger Weg dorthin. Der Amerikaner Ken Wilber bestätigt dies in seinem weithin anerkannten Buch »Halbzeit der Evolution« (München 1984, 367): »Wenn wir alle die Evolution der Menschheit fördern und nicht nur die Früchte des Ringens der Menschheit in der Vergangenheit ernten wollen, wenn wir zur Evolution beitragen und nicht nur die Rosinen aus ihr herauspikken wollen, wenn wir an der Überwindung unserer Selbstentfremdung vom Geist mitwirken und sie nicht einfach verewigen wollen, dann wird Meditation oder eine ähnliche, wirklich kontemplative Praxis zu einem absoluten ethischen Imperativ, zu einem neuen kategorischen Imperativ. Meditation ist einfach das, was ein Individium im gegenwärtigen Stadium des Durchschnittsbewußtseins tun muß, wenn er sich über dieses Stadium hinaus entwickeln will.«

Mittels der Meditation, wie sie heute u. a. Enomiya-Lassalle anbietet, hat der Mensch die Möglichkeit, mit Gott wieder unmittelbar in Kontakt zu kommen (28). Der Weg dorthin ist nicht einfach und oft auch sehr langwierig. Was über Generationen von Menschen verloren und verschüttet ist, kann nicht über Nacht – oder nur durch ein Wunder – wiedererlangt werden. Der Anfang ist schwer (29) und nur ein beständiges, aufrichtiges Bemühen führt den Suchenden an sein Ziel. Es gilt sehr stark zwischen der herkömmlichen Betrachtungsweise und der übergegenständlichen Meditation zu unterscheiden (30).

Unserem bisherigen Bewußtsein kommt zunächst die gegenständliche Betrachtung, die wir rational anstellen können, am ehesten entgegen (31).

Aber schon die großen christlichen Mystiker der Frühgeschichte und des Mittelalters kannten die intensive Meditation (32), die völlig losgelöst von irgendwelchen Bildern und Vorstellungen war. Bei Francisco de Osuna (spanischer Franziskanerpater im 15. Jahrhundert) lesen wir: »Du sollst deinen Verstand zum Schweigen bringen. Das Verständnis der unsichtbaren Dinge gehört zum reinen Bewußtsein, und von reinem Bewußtsein spricht man, wenn der Geist in einer höchsten Wahrheit verharrt, ohne irgendeine Beimischung von bildhaftem Denken. Um aber dahin zu gelangen, mußt du lernen, das Herumwandern der Erinnerungen und Vorstellungen zu unterbinden und daß dein Denken verstummt.«

Auf diese Weise findet die Gottesbegegnung im Seelengrund statt (33). Man bohrt in der eigenen Seele einen Brunnen zu den Grundwassern Gottes und gerät an die Quelle des Seins.

Wenn sich östliche und westliche Spiritualität im Erfahrungsaustausch begegnen, kann der Weg nach Innen für den Christen zu einem personalen Gotteserlebnis, für den Buddhisten zu einer kosmischen, absoluten Erfahrung führen (34).

Der Mystiker Johannes v. Kreuz hat in der dunklen Nacht, in der übergegenständlichen und bildlosen Kontemplation den schmerzvollen Weg zur Gotteserfahrung erlebt.

Ein Hinweis, ein Zeichen für das neue Bewußtsein ist, daß zwar viele Menschen heute nicht mehr an einen bildhaft vorstellbaren Gott glauben, aber das »dritte Auge des Mystikers« – wie es Hugo von St. Viktor bildhaft formuliert (35) – eine entscheidende Rolle für die moderne Wissenschaft spielt.

»Das tiefste erhabenste Gefühl, dessen wir fähig sind, ist das Erlebens des Mystischen. Aus ihm keimt alle wahre Wissenschaft. Das Wissen darum, daß das Unerforschliche wirklich existiert und daß es sich als höchste Wahrheit und strahlendste Schönheit offenbart, wovon wir nur eine dumpfe Ahnung haben können, dieses Wissen und diese Ahnung sind der Kern aller wahren Religiosität. In diesem Sinne, und in diesem allein, zähle ich mich zu den echt religiösen Menschen.« Albert Einstein

28 Antwort auf das neue Verlangen nach der Meditation

Das Verlangen nach Meditation ist im Westen wohl niemals so groß gewesen wie in der Gegenwart. Freilich meint man nicht immer das, was man bisher im christlichen Bereich unter Meditation oder Betrachtung verstanden hat. Die Gründe für dieses Verlangen sind zu einem nicht geringen Teil psychologischer Art: Der Mensch sucht Schutz in der Gefahr, der Hektik des technisierten Lebens zu erliegen, oder, falls er dieser schon erlegen ist, ein Mittel, seelisch wieder gesund zu werden.
Aber es gibt auch Gründe, die unmittelbar dem religiösen Bereich angehören. Wenn wir nach der Religiosität des modernen Menschen fragen, so fallen uns zwei Dinge auf, die auf den ersten Blick einander zu widersprechen scheinen: Während der traditionelle Glaube immer mehr schwindet, kann man auf einer tieferen Ebene ein großes Verlangen nach Gott beobachten, und das oft gerade bei Menschen, die, obwohl ursprünglich oder ihrer Herkunft nach christlich, den inneren Kontakt mit jeder Kirche verloren haben. Manchmal sind sich diese Menschen dabei gar nicht bewußt, worum es sich bei ihrem innersten Suchen letztlich handelt. Was ihnen an Gottesdienst, Predigt und Lesung geboten wird, spricht sie nicht an. Es kommt ihnen oft wie ein bloß äußeres Getue vor, es erscheint ihnen sogar als Pharisäertum. Eher noch fühlen sie sich von nicht-christlichen Religionen und besonders von deren Meditationsweisen angezogen. Aber es gibt auch Menschen, die zwar nicht mit ihrem traditionellen Glauben oder ihren Kirchen gebrochen haben, sich jedoch darin unsicher fühlen oder doch von dem religiösen Gebaren weitgehend unbefriedigt bleiben. Sie sehen, wie alles ins Wanken zu kommen scheint und vieles, was in der Vergangenheit als unzweifelhaft richtig galt, nun ernstlich angezweifelt oder sogar als sicher falsch abgelehnt wird. Das gilt aber nicht nur von Menschen, die einen anderen oder keinen Glauben haben, wie das früher schon vorkam, sondern auch von solchen, die in

den eigenen Reihen führend sein sollten. Man spricht von neuen Auslegungen der Heiligen Schrift, von neuen Interpretationen der Glaubensgeheimnisse, wie der Menschwerdung, der Auferstehung Christi und seiner Wiederkunft am Ende der Zeiten; selbst das Urgeheimnis Gottes in seiner Dreieinigkeit wird in Frage gestellt. Kurzum, alles scheint in den Fundamenten erschüttert zu sein. Das Paradoxe ist nun, daß das Nachdenken über diese Fragen, anstatt die ersehnte Sicherheit und Ruhe zu bringen, die Zweifel eher noch verstärkt. Aber diese Menschen möchten doch um jeden Preis ihren christlichen Glauben bewahren und dazu ihr religiöses Leben, insbesondere auch ihr Gebet vertiefen. So fühlen viele Menschen ein großes Verlangen nach der Meditation, ohne sich vielleicht von den inneren Zusammenhängen klar Rechenschaft geben zu können.

Es ist wohl kein Zweifel, daß nur die Glaubenserfahrung, genauer gesagt, die Gotteserfahrung diese Menschen zum Ziel führen kann. Die Gotteserfahrung dürfte das allerwesentlichste Anliegen des modernen Menschen auf religiösem Gebiet sein. Nun ist es zwar wahr, daß ein solches Erlebnis, das man treffend »Begegnung mit Gott« genannt hat, in jedem Augenblick möglich ist. Es kann ganz plötzlich und unerwartet einbrechen, wie es manche erfahren haben. Aber das sind doch Ausnahmen, mit denen man nicht rechnen kann, wenn einem ernstlich darum zu tun ist, seinen Glauben zu bewahren und zu vertiefen. Der Mensch muß sich selbst darum bemühen, wenn und soweit das von seiner Seite her möglich ist, und sollte es nicht dem »Zufall« überlassen, ob ihn dieser Strahl trifft. Es wäre ja auch nicht Zufall, sondern Gnade.

Ein solches Bemühen ist tatsächlich möglich und auf dem Wege der Meditation sogar aussichtsreich. Dazu Anregungen und Winke zu geben, ist der Zweck der folgenden Erklärungen. Wir möchten ganz konkret von der christlichen Meditation als Weg zur Gotteserfahrung sprechen. Es geht uns also nicht um Meditation als Therapie, obwohl die Meditation auch als Heilmittel für den Menschen unserer Zeit von größter Wichtigkeit ist. Es geht

74

uns auch nicht um Polemik auf dem Gebiete der Meditation, ob es etwa für Christen ratsam sei, nicht-christliche Meditationsweisen zu benutzen. Wohl werden wir uns nicht scheuen, von anderen Religionen zu lernen, was wir dort lernen können. »Prüfet alles, das Gute behaltet« (1 Thess 5,21), hat schon Paulus gesagt. Wir wollen auch nicht Beweise dafür erbringen, daß ein Mensch, der seinen christlichen Glauben verloren hat, ihn durch die Übung östlicher Meditation wiederfinden kann, obwohl solche Fälle gar nicht selten sind.

Vielmehr wenden wir uns an Menschen, die seelisch gesund sind und ihren christlichen Glauben bewahrt haben, die einen Weg der Meditation finden wollen, der für sie sowohl als Christen wie als Menschen unserer Zeit mit allen ihren Hemmungen, Bedrängnissen und Sorgen möglichst geeignet ist. Dabei ist auch die Zeit zu berücksichtigen, in der der Mensch lebt, da er sich beständig weiterentwickelt und gerade jetzt an einem entscheidenden Punkt seiner Entwicklung angekommen ist. Daß der Mensch Gott auch im Mitmenschen finden kann und soll, was heute besonders betont wird, soll damit nicht in Frage gestellt werden. Aber uns geht es um die unmittelbare Begegnung mit Gott, die nicht in Gedanken und Worten besteht, sondern überrational ist.

Aus: Meditation als Weg zur Gotteserfahrung 1982

29 Schwierigkeiten des Anfangs

Wenn wir nun versuchen, den Weg aufzuzeigen, wie man zu einer Meditation kommt, die zur Gotteserfahrung führen kann, stoßen wir gleich auf ein unerwartetes Phänomen: Es gibt Menschen, die sozusagen als Mystiker geboren werden. Nicht, daß sie als vollkommene Menschen, als Heilige in diese Welt eintreten; das wäre nur möglich, wenn Gott selbst Mensch wird, wenn (nach der bisherigen Redeweise in der Theologie) eine Personal-

union von Gott und Mensch vorliegt. Tatsache ist, daß manche Menschen, sobald sie zum Gebrauch der Vernunft gelangen und irgendwie religiös erwacht sind, nach Art der Mystiker beten und meditieren. Sobald sie sich zum Beten anschicken, kehrt sich bei ihnen alles nach innen und verbindet sich zu einer Einheit, die ihnen das diskursive Denken unmöglich macht. Sie sind methodisch schon dort, wohin wir den nicht so veranlagten gewöhnlichen Menschen führen möchten bzw. wohin er sich erst mühsam durchringen muß. Für den mystisch Begabten wäre es Zeitverlust, wollte er versuchen, die Entwicklung zu vollziehen, von der wir sprechen möchten. Er würde es auch gar nicht können; der Versuch wäre für ihn schmerzlich und für sein religiöses Streben hinderlich, wie das aus der Erfahrung derer feststeht, die es mangels einer geeigneten Führung doch versucht haben. Wir wenden uns also zunächst nicht an die in dieser Weise außergewöhnlich veranlagten Menschen. Es geht uns hier um Menschen, die es mit ihrem religiösen Leben ernst nehmen und vollkommene Menschen werden möchten, die nach christlicher Vollkommenheit streben und zu diesem Zweck auch die Meditation benützen möchten. Um vollkommen zu werden, genügt die Meditation nicht. Um es gleich hier und ein für allemal zu sagen: Wenn der Mensch nicht beständig bemüht ist, ein sündenreines Leben zu führen und seine ungeordneten Triebe zu beherrschen, wird ihn keine Meditationsmethode wirklich voranbringen. Er mag manche scheinbaren Erfolge haben, aber er wird schließlich durch eigene Erfahrung zu der Einsicht kommen, daß er auf dem falschen Weg ist – wenn ihm nicht noch Schlimmeres widerfährt, wie dem Menschen, der sein Haus auf Sand gebaut hatte: »Da stürzte der Platzregen herab, die Wasserfluten kamen, die Winde bliesen und fielen über jenes Haus her. Da stürzte es ein, und sein Sturz war groß.« [Mt 7,27]
Wir beschränken uns hier auf die Meditation. Wir werden freilich dabei feststellen, daß die Meditation ihrerseits ein einzigartiges Mittel zur sittlichen Vollendung werden kann. Übrigens muß der Mensch, dem eine Leichtigkeit im Gebet sozusagen als Ge-

schenk in die Wiege gelegt worden ist, immer darauf bedacht
sein, diesem Geschenk durch das Streben nach sittlicher Vollendung zu entsprechen. Sollte er das vernachlässigen, so könnte
es auch ihm ergehen wie dem Mann, der sein Haus auf Sand
gebaut hat. Für die Begabten besteht noch eine besondere Gefahr. Solche Menschen wissen zunächst gar nicht, daß ihnen
etwas Besonderes gegeben ist. Sie meinen zunächst, daß das bei
anderen Menschen ebenso sei, bis sie einmal mit solchen über
das Gebet sprechen und nun feststellen, daß sie eine besondere
Gnade bekommen haben. Oder sie lesen in den Schriften der
Mystiker und finden dort ihre eigene Gebetsweise beschrieben
und als besondere Gnade bezeichnet. Von da an sprechen sie
meist nicht mehr von ihrer Fähigkeit, sondern bewahren sie als
ein Geheimnis. Wohl suchen sie nun einen Führer, der sie auf
ihrem Wege leiten kann, aber wer kann sie schon führen? Sie
kommen dann oft in große Bedrängnis, weil sie sich nicht
verstanden fühlen und man sie von ihrem Weg abbringen will,
der ihnen doch gegeben wurde, ohne daß ihnen eine Wahl
gelassen wurde.
Die meisten Menschen besitzen also nicht von vornherein eine
besondere Gebetsgnade. Wenn sie trotzdem in jener besonderen
Weise zu beten versuchen, etwa weil sie gehört haben, daß diese
Art die vollkommenere Gebetsweise ist, so kommen sie bald in
Schwierigkeiten, verzweifeln vielleicht und geben jeden weiteren Versuch auf.

Aus: Meditation als Weg zur Gotteserfahrung 1982

30 Betrachtung und intuitive Meditation

In der deutschen Sprache gibt es zwei Wörter für dieselbe Sache,
von der hier die Rede ist, nämlich *Betrachtung* und *Meditation«*, während man z. B. im Englischen nur das eine Wort
»meditation« kennt. Der Gebrauch des Wortes Meditation ist im

Deutschen verhältnismäßig neu. Man sprach bis vor nicht langer Zeit immer nur von Betrachtung. Es gab viele Betrachtungsbücher, aber von Meditationsbüchern hat man wohl kaum gehört. Tatsächlich meint man nicht dasselbe, wenn man von Betrachtung oder Meditation spricht. Das Wort Meditation hat einen neuen Sinn bekommen. Man spricht viel von östlicher Meditation, nicht aber von östlicher Betrachtung. Spricht man von Betrachtung, so denkt man zunächst an eine religiöse Übung. Das ist heute gar nicht selbstverständlich, wenn man von Meditation redet. Meditation wird auch in der Therapie als Heilmittel benutzt. Wichtiger noch ist, daß man bei dem Wort Betrachtung eine ganz bestimmte Art religiöser Übung meint, nämlich dabei über einen Gegenstand, eine Glaubenswahrheit oder einen Schrifttext nachdenken. Das ist keineswegs so selbstverständlich, wenn man von Meditation spricht. Manchmal trifft es zu, manchmal auch nicht. Daß die Bedeutung dieser beiden Wörter nicht klar voneinander geschieden ist, ist oft verwirrend. Wir möchten bei diesem Gespräch jedoch nach Möglichkeit Unklarheiten vermeiden und wollen uns auf folgendes einigen:

Wenn wir von *Meditation* sprechen, verstehen wir darunter religiöse Meditation und nicht Therapie. Und zwar meinen wir eine Meditation, die trotzdem nicht über einen Gegenstand, auch keinen religiösen nachdenkt. Das Wort *Betrachtung* dagegen schließt in unserem Zusammenhang nicht nur das religiöse Moment ein, sondern auch, daß sie dadurch betätigt wird, daß man über einen religiösen Gegenstand nachdenkt oder daß sie in anderem Sinne einen Gegenstand hat. Vieles, was hier gesagt wird, trifft für beide Termini zu. [...]

Es ist eine weit verbreitete Meinung, daß es in der christlichen Spiritualität nur eine Betrachtung gäbe, die einen Gegenstand benutzt (gegenständliche Betrachtung), und daß es so etwas wie eine Meditation ohne einen Gegenstand (übergegenständliche Meditation) christlicherseits nicht gäbe. Wie wir bald sehen werden, ist diese Auffassung nicht richtig. Wohl ist sie typisch für den Westen mit seiner Leistungsgesellschaft. Es wurde schon davor gewarnt, das Wesen einer Religion mit der von dieser beeinflußten Kultur oder Zivilisation zu verwechseln. Leider ist jene Meinung, christliche Meditation sei immer gegenständlich, selbst unter Christen so weit verbreitet, daß sie auch von Nicht-Christen als selbstverständlich angesehen wird.

Aus: Zen-Meditation. Eine Einführung 1975

31 Einstieg in die Praxis der Meditation

Im christlichen Bereich beginnt man mit einer Meditationsweise, die, bewußt und gewollt, vornehmlich mit der Vernunft und der Vorstellung arbeitet. Man erinnert sich z. B. an ein Wort oder eine Begebenheit aus dem Evangelium und denkt darüber nach. Man kann sich auch den Hergang der Sache in der Phantasie vorstellen. Man fragt sich etwa, was der tiefere Sinn dieses Wortes ist? Warum wurde es gesprochen? Zu wem? Dabei gewinnt man tiefere Einsichten in die berichteten Worte und Begebenheiten, die einem für das sittliche und religiöse Leben von großem Nutzen sein können. Eine solche Art der Meditation liegt dem Christen besonders nahe, da das Evangelium für ihn der wahre Weg des Menschen ist. Denn Christ sein heißt, sein Leben nach der Lehre und dem Beispiel Christi zu gestalten. Doch ist das nicht die einzige Art und Weise, in der man mit Vernunft und Willen in der Meditation arbeiten kann. Man kann sich z. B. die Gegenwart Gottes im eigenen Herzen vorstellen und ihrer immer mehr innezuwerden suchen. Auch dabei ist man aktiv in seinem Denken. Man tut es bewußt und gewollt. Oder man stößt beim Lesen des Evangeliums auf ein Wort, das einen besonders anspricht. Es scheint dem Menschen ganz persönlich etwas zu sagen, und er läßt es nun einfach auf sich wirken, in sich einsinken. Im Anschluß daran werden ihm manche Dinge klarer. Es wird ihm manches aufgehen, sei es in dem, was er tun sollte, oder in dem, was er nicht mehr tun sollte. So kommt es wie von selbst zu Entschlüssen, und er wird sich zu Gott wenden, ihn um

Erleuchtung und Kraft bitten. Man hat diese Art der Betrachtung gegenständlich genannt, weil sie einen Gegenstand oder ein Objekt hat, über das man nachdenkt oder das man bewußt und gewollt anstrebt. Das eigene Ich ist hier richtunggebend. Es ist aktiv und nicht nur passiv.

Es gibt im christlichen Bereich viele Betrachtungsweisen dieser Art und eine reiche Literatur dazu. Da nicht jeder Christ eine ausgedehnte Kenntnis der Heiligen Schrift besitzt, gibt man in den Betrachtungsbüchern Erklärungen und Anregungen, die die Betrachtung über Bibeltexte erleichtern. Wichtig ist bei dieser Art der Betrachtung, daß sie vorbereitet wird. Man soll schon am Abend vorher überlegen, worüber man am nächsten Morgen betrachten will, indem man den Text aufmerksam liest und sich sozusagen für die Betrachtung einstimmt. Dadurch wird es leichter, am anderen Morgen störende Gedanken und Sorgen fernzuhalten, die sich sonst vielleicht gleich beim Erwachen aufdrängen und Störungsherde in der Meditation werden können.

Es ist sicher heilsam, und es ist jedem, der ganz Christ sein möchte, zu empfehlen, diese Art der Betrachtung anzustellen – womöglich täglich. Wer es tut, wird ihre segensreiche Wirkung an sich erfahren. Das ist ohne weiteres einsichtig und durch jahrhundertelange Erfahrung immer wieder bestätigt. Es liegt – oder lag wenigstens bisher – für den westlichen Menschen nahe, sich zunächst an diese Form der Betrachtung zu halten. Diese Betrachtungsweise, zu der Ignatius von Loyola in seinen Exerzitien ausführliche Anweisungen gibt, ist nicht nur in seinem Orden, sondern weit über dessen Grenzen hinaus in allen christlichen Ländern und selbst in den nichtchristlichen, so weit dort Christen leben, Jahrhunderte hindurch – man darf wohl sagen – vorherrschend gewesen und bis in die Gegenwart noch viel in Übung. Leider ist man aber, um es gelinde auszudrücken, bei dieser sogenannten »Ignatianischen Methode« allzuoft nur an der Oberfläche geblieben, und gerade deswegen wird diese Methode in der Gegenwart, an der Schwelle eines neuen Menschheitsalters, vielfach abgelehnt. Ignatius war Mystiker, und die Oberflächlichkeit, mit der man nur zu oft seine freilich in lapidarer Kürze gehaltenen Anweisungen für die Meditation übernommen hat, steht in krassem Gegensatz zu der mystischen Tiefe des Heiligen, die auch in den Exerzitien verborgen enthalten ist.

Wer diese oder eine andere Art der gegenständlichen Betrachtung pflegt, wird dabei neue Erkenntnisse erlangen oder einen tiefen Trost empfinden, er wird ein Wachsen von Glaube, Hoffnung und Liebe erleben. Aber das ist nicht immer so. Bisweilen wird er fast während der ganzen Zeit der Meditation durch störende Gedanken abgelenkt. Oder er fühlt eine große Trockenheit, und die Zeit wird ihm so lang, daß er versucht ist, die Meditation abzubrechen, bevor die dafür angesetzte Zeit verstrichen ist. Diese Erfahrung hat selbst Theresia von Avila viele Jahre hindurch gemacht. Es wird sogar erzählt, sie habe die neben ihr stehende Sanduhr ergriffen und kräftig geschüttelt, damit die Zeit schneller vorbeiging.

Trotzdem dürfte diese Art der Meditation für die meisten Menschen, die für sie empfänglich sind oder sich von ihr angezogen fühlen und sie regelmäßig üben, eine Zeitlang eine beständige Bereicherung bedeuten. Aber es dürfte doch nur wenige Menschen geben, bei denen das immer so bleibt. Die meisten werden nach einiger Zeit die Erfahrung machen, daß die bisher durch die Meditation gegebenen Anregungen trotz allem ernsten Bemühen abnehmen und schließlich ganz ausbleiben. Oft kommt hinzu, daß man infolge eines sehr aktiven Lebens eine gewisse Müdigkeit aufstapelt, die dann in der Stille der Betrachtungsstunde zum Ausbruch kommt. Man fragt sich dann unwillkürlich: Hat es da noch Sinn, die kostbare Zeit so zu vergeuden, die man vielleicht im Dienste des Nächsten viel besser verwerten könnte? Einer solchen Versuchung nachzugeben, wäre sicher eine Fehllösung. Ebenso falsch wäre es, den Schluß zu ziehen, daß der eigene Weg von Anfang an verfehlt gewesen sei. Denn es bleibt doch wahr, daß die mit Verstand, Wille und Vorstellung bewußt und gewollt vollzogene Betrachtung lange Zeit eine hochwertige geistige Nahrung war. Viele Dinge sind ihm dabei klar geworden, und viele Anregungen wurden gegeben, für die der Mensch immer dankbar sein wird.

Ein tieferes Eindringen in die Heilige Schrift, besonders in die Evangelien, ist auch, abgesehen von der Frage der Meditation, nicht nur erwünscht, sondern für ein Christsein im Vollsinn notwendig, und sollte, falls es nicht auf dem Wege der Meditation geschieht, auf anderem Wege in Lesung und Studium geschehen bzw. fortgesetzt werden.

Aber ein solches Lesen und Studieren könnte nicht als Ersatz der Meditation gelten. Wir müssen uns hier über einen Punkt klar werden: Wo hört die Lesung auf, und wo fängt die Meditation an? Darauf wird man sofort antworten: Da geht eins ins andere über und läßt sich nicht klar trennen. Gewiß kann man beides miteinander verbinden, indem man beim Lesen innehält und eine Zeitlang über das Gelesene nachdenkt, meditiert. Wenn man, um den erwähnten Schwierigkeiten auszuweichen, seine gewohnte Meditationsstunde in der besagten Weise durch Lesen und Pausen und Nachdenken und, je nachdem man sich angeregt fühlt, auch durch Beten im Zwiegespräch mit Gott ausfüllt, so tut man etwas, das sicher gut und heilsam ist. Aber es besteht die Gefahr, daß man sich den Weg zu einer tieferen Meditation verbaut. Es kommt eine Zeit, wo man sagen kann: Wenn man zuviel liest, so zerwalzt man das Gute, das in einem selbst ist. Wir werden das im Laufe unserer Erklärungen noch besser verstehen.

Die Meditation darf nicht an der Oberfläche bleiben, sondern muß in die Tiefe gehen. Das gilt nicht nur von dem Objekt, sondern auch von dem meditierenden Subjekt. Das Objekt muß in seinem Wesen erfaßt werden, und der Meditierende muß den Gegenstand nicht nur mit dem Verstand erfassen, sondern ihn sich im Seelengrunde ganz zu eigen machen. Das aber ist durch Überlegungen allein nicht nur nicht möglich, sondern wird durch zu viele Überlegungen geradezu verhindert. Es gibt Stufen des Gebetes, die auch für die christliche Meditation Geltung haben. [...] Etwas ausführlicher ausgedrückt: 1. das Gebet, das nur mit dem Munde verrichtet wird, 2. das Gebet, das mit dem Verstande erfaßt und von Anfang bis Ende bewußt verrichtet wird, 3. das Gebet, das ins Herz eingeht und mit dem Gefühl erfaßt wird – das geschieht schon unter Mitwirkung der Gnade, 4. das Gebet, das vom Herzen vollzogen wird und immerwährend ist und schließlich in der Ekstase zur höchsten Höhe führt. Diese Stufen lassen sich nicht umkehren, weil sie in der menschlichen Natur begründet sind. Die vierte Stufe hängt eng mit dem in der Ostkirche seit mehr als tausend Jahren geübten Jesusgebet zusammen. Wie man an diesen Stufen sieht, geht das Gebet in seinem Fortschritt von außen nach innen und gleichzeitig vom aktiven zum passiven Verhalten. Während anfangs der Mensch fast allein tätig ist, verhält er sich am Ende fast oder gänzlich passiv.

Aus: Meditation als Weg der Gotteserfahrung 1972

32 Von der gegenständlichen Betrachtung zur übergegenständlichen Meditation

Wir haben daraus den Schluß gezogen, daß die Betrachtung früher oder später in die Meditation im eigentlichen Sinne, nämlich übergegenständliche oder intuitive Meditation übergehen müsse. Davon wußte und sprach man auch in der christlichen Spiritualität schon immer, sobald das Gebiet der Mystik in Frage kam. Dieses Gebiet ist seit langer Zeit als ein verschlossenes Paradies betrachtet worden: Eintritt verboten! Achtung Fußfesseln! Nur auf eigene Gefahr! Solche und ähnliche Schilder hingen da am Eingang. Manches hat sich gewandelt oder ist im Begriffe, es zu tun. Aber was eigentlich Mystik ist, darüber ist man sich keineswegs einig. Im Bewußtsein des westlichen Menschen ist Mystik ein dunkler und nebelhafter Zustand, dessen Erfahrungen keine zuverlässige oder allgemein gültige Erkenntnis bieten können. Innerhalb der katholischen Kirche ist freilich trotz allem der »mystische Strom« ununterbrochen, wenn auch nur wenigen Menschen bewußt, weitergeflossen. Das Hauptverdienst an dieser

Tatsache haben zweifellos die kontemplativen Orden. Neuerdings hört man auch wieder Stimmen, die in ein anderes Extrem schlagen. Sie sagen, jeder Mensch sei Mystiker, und das um so mehr, wenn er Christ ist, der im »Stande der Gnade« ist. Karl Albrecht hat versucht, einen Begriff der Mystik zu umreißen, der nicht nur gültig ist für jede christliche Mystik, sondern auch die nicht-christliche Mystik einschließt. Darauf werden wir noch zu sprechen kommen. Wir setzen hier einen Begriff von Mystik voraus, der bisher bezüglich der christlichen Mystiker stillschweigend vorausgesetzt wurde.

Der Weg von der gegenständlichen Betrachtung zur übergegenständlichen Meditation, der schon immer in der christlichen Spiritualität als eine Fortführung zur Mystik hin gelehrt wurde, ist kurz folgender: Nachdem man sich geraume Zeit in der Betrachtung des Lebens Christi und der Evangelien geübt hat, soll man die Verstandestätigkeit mehr und mehr einschränken und anstatt dessen die Tätigkeit des Willens intensivieren. Konkret heißt das, daß die Betrachtung mehr zu einem Gespräch mit Gott wird oder die Form von Stoßgebeten annimmt. Der nächste Schritt ist dann der, daß die Tätigkeit des Willens vereinfacht wird, in dem Sinne, daß nicht mehr viele aufeinander folgende Akte erweckt werden, sondern ein einziger Akt (Affekt) auf Gott hin längere Zeit angehalten wird. Es ist gewissermaßen ein Blick oder eine Stimmung, die auf Gott gerichtet sind. Wenn die Betrachtung bis dahin fortschreitet, ist sie schon zur Meditation geworden. Das Bewußtsein ist vereinheitlicht [. . .]. Von da ist es nicht mehr weit zum Gebet der Sammlung und Ruhe, die uns als Vorstufen zur Mystik bekannt sind.

Die Haltung bei dieser Art des Gebetes ist nicht mehr gegenständlich in dem Sinne, daß man über etwas nachdenkt wie bei der Betrachtung. Versucht man es doch zu tun, so würde die Vereinheitlichung des Bewußtseins auseinanderfallen. Diese Gebetsweisen werden auch unvollkommene Beschauung genannt. Die geistlichen Lehrer haben im Gebet der Sammlung immer ein Zeichen gesehen, daß jemand zur (eingegossenen »übernatürlichen«) eigentlichen Beschauung »berufen« ist, oder besser ge-

sagt (da man heute eher sagen würde, daß jeder Mensch unter Gottes Gnade diese Berufung hat), Aussicht hat, dazu zu kommen. Sie haben solchen Menschen daher den Rat gegeben, die gegenständliche Betrachtung endgültig aufzugeben und sich anstatt dessen nach innen zu kehren und sich ruhig zu verhalten. Diese Haltung ist der beim Zazen (Shikantaza) mindestens sehr ähnlich. Der geistige Blick ist einfach nach innen gerichtet. Das also ist der christliche Weg zu einem einfachen tiefen Gebet. Problematisch wird dabei oft der Übergang von der Betrachtung mit Gegenstand zur Meditation ohne »Betrachtungsgegenstand«. Die Einschränkung der Verstandestätigkeit kommt schon von selbst nach einiger Zeit. Aber zu einem länger andauernden Affekt im obigen Sinne zu kommen will oft nicht gelingen und ist durch einen Willensentschluß allein gar nicht möglich. Wenn wir uns erinnern an das, was wir von dem Organ, in dem die geistigen Gefühle geboren und nicht gemacht werden, versteht sich das von selbst. Man wird vielleicht sagen, daß das durch eine Gnade geschehen müsse, die von Gott gegeben werden müsse. Aber ist das wirklich alles, was dazu gesagt werden kann?
Viele Menschen üben eine Zeitlang, mit viel Erfolg sogar, die gegenständliche Betrachtung. Aber nach einiger Zeit trocknet sie sozusagen aus. Sie kommt nicht mehr an. Versucht man dann eine rein affektive Betrachtung bzw. Meditation zu machen, so geht das bisweilen auch ganz gut. Aber vielleicht noch öfter gelingt es nicht. Sucht man es trotzdem mit dem Willen zu erzwingen, so geht es vielleicht auch einige Zeit. Aber eines Tages kommt einem dieses Erzwingen unnatürlich vor, und man wird irre an seinem Entschluß. Was hier erzwungen wird, sollte von selbst geschehen. Es kann eben nicht erzwungen werden. Es gibt – räumlich ausgedrückt – einen geistigen Ort (Bewußtseinszustand), wo das von selbst geschieht oder wenigstens geschehen kann. Wenn es gelingt, an diesen Ort zu kommen, dann ist die Situation anders. Dann werden solche Gefühle gegeben. Sie kommen von innen her. Und falls sie nicht kommen – was auch sein kann –, dann ist die andere Alternative nicht eine Menge von Zerstreuungen oder Langeweile und auch nicht

Leerlauf. Wer Erfahrung im Zanmai hat, weiß das. Die Zeit geht schneller vorbei, als wenn er über etwas nachdenkt. Die innere Haltung ist dann ein Blick in die Dunkelheit, was nicht gleichbedeutend ist mit einer Betrachtung der Dunkelheit. Johannes vom Kreuz nennt diese Haltung »dunkle Beschauung«. Er sagt davon, daß sich in der Dunkelheit ein Licht befindet, das aber die Seele nicht wahrnimmt, weil sie noch nicht genügend gereinigt ist. Ein anderer Autor nennt dieses Dunkel das Nichts (wie man es auch im Zen nennen würde) und sagt, daß dieses nicht dunkel, sondern ein so helles Licht sei, daß die Seele geblendet würde, wenn sie hineinschaute.

Aus: Zen-Meditation. Eine Einführung 1975

33 Zisternenwasser und Quellwasser: Zwei Arten der Gotteserfahrung

In beiden Arten ist letztlich Gott da. Das gehört wesentlich zur christlichen Meditation. Aber bei der ersten ist Gott als Gegenstand da, bei der zweiten als mit dem Subjekt vereint. Im höchsten Grade wird kein Unterschied zwischen Gott und dem menschlichen Geist mehr wahrgenommen, so in der ekstatischen Vereinigung. Was von der ersten Art gesagt wird, gilt übrigens zunächst auch von der Liturgie und vom privaten mündlichen Gebet.

Zusammenfassend kann man sagen, daß die erste Art gewissermaßen an der Oberfläche des Geistes stattfindet, die zweite dagegen im Seelengrund. Die Sinne und Seelenkräfte sind beim Gebet der Sammlung oder der Ruhe in ihren Ursprung zurückgekehrt und dort gewissermaßen aufgehoben, sie werden nicht mehr voneinander getrennt betätigt. Statt dessen öffnet sich eine Quelle, die von innen her fließt, unmittelbar von Gott, der im Grunde der Seele wohnt. Johannes Tauler hat diesen Gedanken wiederholt zum Ausdruck gebracht. Die erste Weise gleicht

Zisternen, in die das Wasser von außen hineingebracht wird – durch Regen oder durch Menschenhand; die zweite gleicht dem Quellwasser, das unmittelbar aus dem Berge quillt. Das Wasser der Zisternen ist stehendes Wasser und wird mit der Zeit faul; das Quellwasser ist immer frisch. Wer einmal Quellwasser gekostet hat, verlangt nicht mehr nach Wasser aus der Zisterne. Es schmeckt ihm nicht mehr. Tauler macht es den »geistlichen Leuten« zum Vorwurf, daß sie ihr geistiges Wasser, solange sie auch im geistlichen Beruf stehen, immer nur aus den Zisternen beziehen und nicht aus dem Grunde der Seele, wo die reine Quelle fließen sollte; deswegen werden diese geistlichen Leute niemals von ihren Fehlern wie Neid und Lieblosigkeit gründlich gereinigt, trotz aller mündlichen Gebete, auf die sie täglich viele Stunden verwenden; diese, so sagt Tauler, lassen ihnen keine Zeit, in ihren Grund einzugehen.

Wir sehen schon aus dieser Gegenüberstellung der beiden Meditationsweisen, daß die erste, die wir normalerweise, der Veranlagung der menschlichen Natur entsprechend, im Anfang üben, nicht endgültig sein darf, wenn wir durch die Meditation wirklich umgewandelt werden sollen. Der Christ hat zwar durch Christi Verdienst und eigene, freigewollte Hinwendung zu Gott die Gnade erlangt und ist in Wahrheit ein Kind Gottes geworden. Aber zunächst auch nur ein Kind, das noch zum Mannesalter heranwachsen sollte, um ganz und gar das zu sein, was die Kindschaft Gottes bedeutet: ein anderer Christus. In diesem Wachstum spielt nun aber die Meditation eine ganz bedeutende Rolle. Aber sie kann ihre Zwecke nicht erfüllen, wenn sie immer im Gegenständlichen bleibt. Denn der Mensch muß im Grunde umgewandelt werden, und darum muß die gegenständliche Meditation früher oder später durch die übergegenständliche, die im Seelengrund vollzogen wird, abgelöst werden. In diesem Sinne spricht Tauler von der »Kehre«, der Einkehr, die irgendeinmal geschehen muß, wenn der Mensch wirklich vollkommen werden soll. Daher ist es ganz in der Ordnung, liegt in der Heilsordnung, daß die anfängliche Art der Meditation im Laufe der Zeit »austrocknet«. Daraus darf nicht der Schluß gezogen werden, daß man die Meditation besser aufgeben oder durch Lesung mit meditativen Pausen ersetzen sollte. Vielmehr ist es nun an der Zeit, zu einer anderen, tieferen Meditation überzugehen, nämlich zu jener zweiten Art, die im Seelengrunde vollzogen wird. Und das ist im weiteren Sinne mystisches Gebet.

Aus: Meditation als Weg zur Gotteserfahrung 1972

34 Mystische Erfahrung in West und Ost

Es ist immer die Überzeugung der Mystiker gewesen, daß ihnen die mystische Erfahrung eine zuverlässige Erkenntnis vermittelt. So ist ihnen vor allem die Präsenz des Umfassenden – christlich gesprochen: Gottes – im eigenen Herzen mit unbezweifelbarer Evidenz bewußt geworden. Von dieser Präsenz wußten sie schon vorher kraft ihres christlichen Glaubens. Aber es war für sie eine dunkle Erkenntnis, der gegenüber ein Zweifel immer möglich bleibt, selbst wenn keine vernünftigen Gründe dafür zu bestehen scheinen. In der mystischen Erfahrung dagegen wird jeder Zweifel unmöglich, genau so wie man an der Gegenwart eines Menschen, den man vor sich stehen sieht, nicht zweifeln kann. Dasselbe gilt auch von gewissen Erfahrungen in anderen Religionen. Man kann z. B. von der Zen-Erleuchtung sagen, daß sie »ohne Zweifel ein Phänomen echter, reiner, unmittelbarer, erfahrungsmäßiger Erfassung des Umfassenden ist« (Albrecht, »Erkennen«, S. 48). Hier ist es freilich, wie gesagt, eine apersonale Erfahrung des Absoluten; aber das vermindert die Sicherheit nicht, sondern verstärkt sie sogar, wie wir noch sehen werden. Das setzt natürlich voraus, daß die Erfahrung in ihrem Kern echt ist. Diese Voraussetzung gilt natürlich in gleicher Weise für die Erfahrungen im christlichen Bereich. [. . .]
Ist das personale Element in der christlichen Mystik lediglich in einer von jeher eingewurzelten Denkungs- und Auffassungskategorie begründet? Es ist Tatsache, daß eine apersonale Erfahrung

des Absoluten bei einem gottesgläubigen Christen selten ist.
Wenn es unmöglich wäre, könnte ein Christ niemals eine echte
Zen-Erleuchtung, die unzweifelhaft apersonal ist, erleben. Aber
das ist unwahrscheinlich und scheint den Tatsachen zu widersprechen. Es gibt doch schon Fälle, wo Christen eine Zen-
Erleuchtung erlangten, die von besten Zenmeistern als solche
anerkannt wurde. In den meisten Fällen wird ein Christ, wenn er
auf dem Wege der Zen-Meditation die Erleuchtung erlangt, es für
eine Gotteserfahrung halten. Aber das zur Verfügung stehende
Material ist noch zu gering, um im einen oder anderen Sinne
endgültige Schlüsse zu erlauben. In den Auseinandersetzungen
zwischen christlicher und zenbuddhistischer Mystik wird gelegentlich die Frage aufgeworfen, welche von beiden die letztgül-
tige Erfahrung sei. Der Buddhist urteilt, daß der Christ auf
seinem Wege noch nicht bis zu Ende gekommen ist, solange er
Gott noch als Person erfährt. Der Christ sagt dagegen, daß der
Buddhist noch einen Schritt weitergehen müsse, um zum Letzten, nämlich dem persönlichen Gott zu kommen.

Aus: Meditation als Weg zur Gotteserfahrung 1972

35 Hugo von St. Viktor: Das dritte Auge des Mystikers

Die religiösen Wahrheiten lassen sich nicht nur nach der Lehre
der östlichen Religionen, sondern auch nach der des Christentums rational nicht hinreichend verstehen. Auf diesen Geheim-
nischarakter des Glaubens ist man im Christentum besonders in
den letzten Jahrzehnten aufmerksam geworden. Ein bloß rationa-
les Denken findet insbesondere keinen inneren Zugang zum
ungeteilten Sein, im christlichen Bereich »Gott« genannt, oder
das Absolute, das Namenlose oder wie auch immer. Solange der
Mensch es nur begrifflich erfaßt, ist das nicht Gott, sondern nur
ein Bild von ihm. Gerade das ist heute vielen Menschen im

Westen bewußt geworden, wenn sie nicht mehr an einen »vorge-
stellten« Gott glauben oder sich Gott nicht mehr nach Art eines
Objekts vorstellen können. Darin, daß der »vorgestellte Gott« für
viele tot ist, spricht sich schon das neue Bewußtsein aus. Auch
viele der christlichen Mystiker haben diese Übergegenständlich-
keit Gottes schmerzlich erfahren müssen. Nur durch die dunkle
Nacht, um mit Johannes vom Kreuz zu sprechen, durch den
Verzicht auf alles Vorstellbare konnten sie sich Gott nähern.
[...]
Die »Einsicht«, wie sie als Auswirkung der Zenmeditation gemeint ist, gehört ohne Zweifel der intuitiven Erkenntnisweise an.
Aber sie ist doch nicht einfach dasselbe wie die oben beschriebene unmittelbare Erkenntnisweise, die jeder Mensch bis zu
einem gewissen Grad besitzt und beständig ohne weiteres Nachdenken ausübt, so etwa, wenn jeder weiß, daß ein und dieselbe
Sache nicht gleichzeitig sein und nicht sein kann. »Einsicht«
dagegen, wie sie im Zen gemeint ist, besitzt niemand allein schon
dadurch, daß er Mensch ist, ebensowenig wie nicht jeder Mensch
Mystiker ist oder in einem bestimmten Alter wird, etwa so wie er
von selbst zum Gebrauch der Vernunft erwacht. Man könnte mit
der Tradition die »Einsicht« ein »drittes Auge« nennen, das der
Mensch außer dem körperlichen Auge und dem Auge des Verstandes besitzt. So sagt ein christlicher Mystiker, Hugo von
Sankt Viktor († 1141), der Mensch habe ursprünglich drei Augen
gehabt, das körperliche, das des Verstandes und als drittes das
der Kontemplation, das aber durch den Sündenfall vollkommen
erblindet sei.

Aus: Verändert die Praxis des Zen das religiöse Bewußtsein? 1983

V Zen und Christentum

Enomiya-Lassalle, der schon seit 1943 die Zen-Meditation übt und praktiziert, hält seit der Ost-West-Tagung in Elmau im Jahr 1967 regelmäßig in Europa Zen-Kurse.

Zen ist ein Meditationsweg (36), der seinen Ursprung in Indien hat (37). Lassalle selbst ist Schüler des berühmten japanischen Zen-Meisters Harada gewesen, welcher die 2 klassischen Schulen von »Soto« und »Rinzai« in eine neue eigene Form brachte, die nunmehr u. a. von Enomiya-Lassalle weitergeführt wird.

Ganz besonders betont Pater Lassalle immer wieder die innere Haltung, ohne die eine Öffnung zu den tiefsten Bewußtseinsschichten nicht möglich ist (38).

Es gibt inzwischen einige westliche Zen-Meister, die dem Vorbild von Lassalle gefolgt sind. Die Prüfung und Anerkennung zum Meister ist äußerst schwierig, zumal einige hundert Kôans zu lösen sind. Die wirkliche Befähigung zum Zen-Meister ist nur wenigen vorbehalten. Der Meister ist für die Schüler nicht irgendein Lehrer, sondern der »Buddha« selbst (39).

Enomiya-Lassalle hatte mit seinem ersten Buch »Zen-Weg zur Erleuchtung« (1958 veröffentlicht und 1981 in 6. Auflage) zunächst Schwierigkeiten mit den kirchlichen Behörden im Vatikan. Das Buch wurde erst während des II. vatikanischen Konzils, welches das Fenster zum Osten geöffnet hatte, freigesprochen.

Enomiya-Lassalle ist in unbeirrbarer Überzeugung seinen Weg konsequent gegangen und hat eine Reihe von Schülern an das eigentliche Ziel, das Erleuchtungserlebnis herangeführt (40). Was in früheren Jahren nur für begnadete Menschen möglich war, kann heute für viele Wirklichkeit werden (41). Die Erfahrung der absoluten Wirklichkeit führt zum vollkommenen Einssein, wobei auch Leben und Tod eine Einheit bilden und nicht mehr getrennt angesehen werden (42).

*Ein Mönch fragte den großen chinesischen Zen-Meister Joshu
der T'ang-Zeit (778–897):*
»Was ist Erleuchtung?«
Joshu sagte: »Ich bin schwerhörig!«
Der Mönch wiederholte seine Frage.
Joshu sagte: »Ich bin nicht taub, wie du weißt.«
Dann verfaßte Joshu ein Gedicht:
*Wer auf dem großen Weg sich frei bewegt, gewahrt der Erleuch-
tung Tor.*
»Nur sitzen«, und der Geist ist grenzenlos.
Jedes Jahr Frühling, wieder Frühling.

36 Was ist Zen?

Das Wort »Zen« kommt vom indischen »dhyana« und heißt
ursprünglich »Meditation«. Die Chinesen schrieben es mit einem
Schriftzeichen, das *ch'an* ausgesprochen wird und bereits im
Taoismus in Gebrauch war. Das Zeichen ist aus den Elementen
»Gott« und »ein« oder »einfach« zusammengesetzt, bedeutet
also »Eins mit Gott«. Im Laufe der Zeit bekam das Wort Zen
einen weiteren Sinn und schließt heute alles ein, was mit dieser
Art der Meditation irgendwie zusammenhängt. Dazu gehört z. B.
auch die bekannte Teezeremonie, ebenso die Kunst des Bogen-
schießens, des Kyodo (Weg des Bogens). Das gleiche gilt vom
Fechten, Judo, Karate, Pinselschreiben und vom Blumenstek-
ken, dem Ikebana. All das sind für das Zen nicht nur Sportarten
oder Künste, sondern Wege, Lebenswege. Sie atmen sozusagen
den Geist des Zen, will heißen, sie enthalten die geistige Lebens-
einstellung, die dem Zen eigen ist. Alle diese Zen-Wege sind
heute mehr oder weniger auch im Westen bekannt und werden
auch hier von immer mehr Menschen geübt. Alle haben ihre
eigenen Regeln, ihre speziellen Bedeutungen und Wirkungen.
Auf alle einzugehen, würde viel zu weit führen, aber der gründ-

lichste und wirksamste dieser Wege ist und bleibt die Zen-Meditation, das Zazen.

Aus: Praxis und Vollzug der Zen-Meditation 1985/86

37 Der Ursprung des Zazen

Buddha selbst hat im 6. vorchristlichen Jahrhundert bereits den Lotussitz, die klassische asiatische Meditationshaltung, vom Yoga übernommen. Als der eigentliche Begründer des Zazen gilt aber erst der Inder Bodhidharma, der 526 n. Chr., also rund 1 000 Jahre nach Buddha, als buddhistischer Mönch von Indien nach Südchina kam und dort die Meditationsschule ins Leben rief, aus der sich in der Folgezeit die Zen-Meditation entwickelte. Dabei ging Bodhidharma von der Meditationsmethode aus, die in seiner eigenen buddhistischen Richtung, dem sogenannten Mahayana üblich war. (In anderen buddhistischen Regionen, in Ceylon etwa, Birma oder Thailand, waren andere Praktiken gebräuchlich; die Ausbreitung des Zazen war also nicht identisch mit der Ausbreitung des Buddhismus).
Später nahm die Meditationslehre des Bodhidharma noch manche Elemente verschiedener philosophischer und meditativer Strömungen Chinas in sich auf. Vor allem vom Taoismus, mit dem das Zazen damals in enge Verbindung kam.
Diese Entwicklung des Zen in China im einzelnen weiter zu verfolgen, würde zu weit führen und ist für unsere Zwecke auch nicht notwendig. Nachdem nämlich die Verschmelzung mit dem chinesischen Geistesleben einmal vollzogen war, hat sich das Zen nicht mehr wesentlich verändert. Nach Japan kam das Zen über Korea, und zwar zwischen dem 7. und 12. Jahrhundert. Aber auch nachdem es dort eingeführt war, gingen die japanischen Zen-Schüler noch jahrhundertelang zu den großen chinesischen Meistern in die Lehre. So gehen auch die Koan, bestimmte Problemstellungen an die Schüler, über die wir noch sprechen

werden, fast alle auf die alten chinesischen Meister zurück, d. h. sie sind heute an die 1000 Jahre alt.

Dieser knappe Abriß über die geschichtliche Entwicklung des Zen erklärt bereits die Tatsache, daß es auch heute noch verschiedene Interpretationen und entsprechend unterschiedliche Handhabungen in der Praktik des Zazen gibt. Vor allem zwei Schulen sind hier zu nennen, die sich im 12. Jahrhundert, dem Höhepunkt des Einstroms nach Japan, herausbildeten und die sich heute noch deutlich unterscheidbar gegenüberstehen: »Soto« und »Rinzai«. Die wichtigsten Differenzen in Interpretation und Praxis werden wir an Ort und Stelle anzudeuten versuchen.

Aus: Praxis und Vollzug der Meditation 1985/86

38 Vollzug der Zen-Meditation

Zazen heißt »Sitz-Meditation«, was schon andeutet, daß das Sitzen eine wichtige Rolle spielt. Im einzelnen kommt es dabei auf drei Dinge an: die Körperhaltung, die Atmung und die innere Haltung.

Die Körperhaltung. Man sitzt auf einem etwa 6 cm dicken Kissen, das unmittelbar auf dem Boden oder auf einer Decke liegt. Dabei wird der rechte Fuß auf den linken Oberschenkel und der linke Fuß auf den rechten Oberschenkel gelegt (vgl. Abb. 1). Diese Sitzweise, Lotussitz genannt, ist zweifellos die beste, kann aber nötigenfalls modifiziert werden, indem man nur den einen Fuß auf den gegenüberliegenden Oberschenkel legt und den anderen Fuß flach am Boden unter dem gegenüberliegenden Oberschenkel liegen läßt (Vgl. Abb. 2). Es gibt noch andere Modifikationen wie beispielsweise den Fersensitz (Vgl. Abb. 3). Wenn man keine von den angezeigten Weisen auf dem Boden sitzend vollziehen kann, darf man sich auf einen Stuhl setzen, aber so, daß man sich nicht anlehnt und Wirbelsäule und Kopf aufrecht hält (Vgl. Abb. 4).

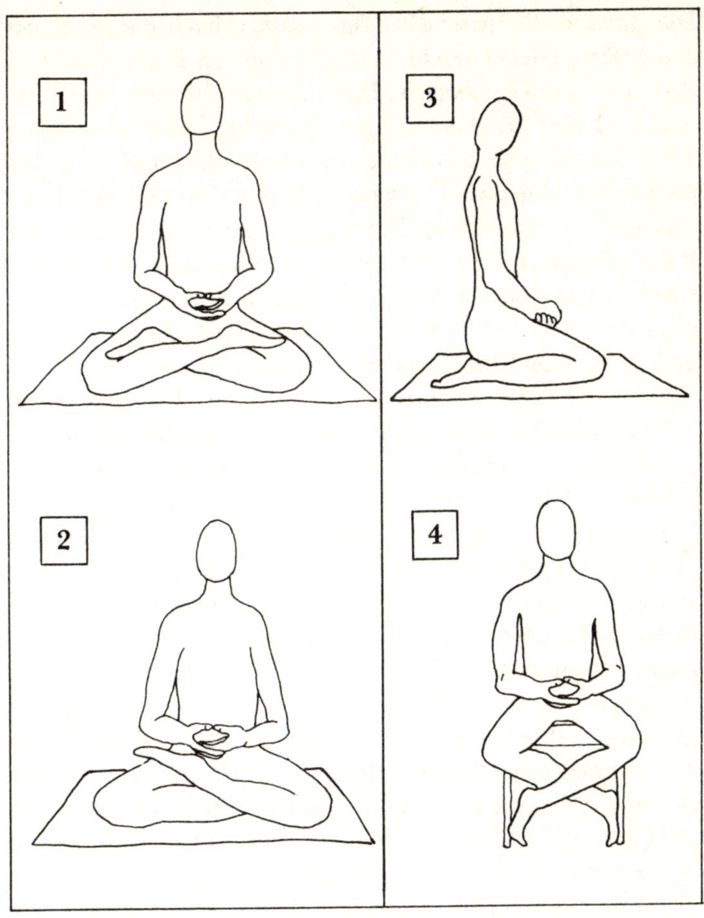

Der Oberkörper soll einschließlich des Kopfes kerzengerade aufgerichtet, aber vollkommen entspannt sein. Die Arme hängen gelöst herunter. Die Hände liegen mit dem Handrücken nach unten gekehrt flach aufeinander, wobei sich die Daumen leicht berühren. Die Augen sind halb geöffnet auf einen etwa einen Meter entfernten Punkt am Boden gerichtet. Dieser Sitz ist der berühmte »Lotussitz«; er wurde für das Zazen, wie gesagt, fast unverändert vom Yoga übernommen.

Die Atmung. Sie geschieht grundsätzlich durch die Nase und sollte Tief- oder Zwerchfellatmung sein. Zwischen Ein- und Ausatmen soll keine längere Pause gemacht werden. Der Atem wird also nicht angehalten. Auf die tiefere Bedeutung dieser Technik werden wir gleich noch zu sprechen kommen. Zunächst einmal fördert die beschriebene Haltung und Atmung den Blutkreislauf und beruhigt die Nerven. Nachdem der Körper so zur Ruhe gekommen ist, ist es leichter, auch seelisch in den Ruhezustand zu kommen, der für die Meditation notwendig ist.

Die innere Haltung. Sie ist der wichtigste Punkt und der unmittelbare Zweck von Körperhaltung und Atmung. Naturgemäß ist sie schwieriger zu beschreiben als diese. Meister Dogen, der von 1200 bis 1252 lebte und in Japan die erwähnte Soto-Schule begründete, verlangte in diesem Zusammenhang von seinen Schülern, sie sollten »das Nicht-Denken denken«.

Mit anderen Worten, es geht um ein Nichtdenken, das nicht gleichbedeutend ist mit einem Zustand des bloßen Dösens. Eine andere gebräuchliche Formel für diese Haltung lautet: »Ohne Begriffe und ohne Gedanken« (munen muso). Man könnte das Zazen demzufolge als Meditation ohne Gegenstand oder Thema bezeichnen. Im christlichen Bereich sind wir gewohnt, uns wenigstens anfänglich auf einen Gegenstand, z. B. eine Glaubenswahrheit oder eine Schriftstelle zu konzentrieren, wenn wir eine Meditation anstellen. Im Zen ist das anders; dort wird auch nicht über die buddhistische Lehre nachgedacht. Der chinesische Altmeister Rinzai sagte: »Räume jedes Hindernis aus dem Wege ... Wenn dir der Buddha auf dem Weg begegnet, so töte den Buddha! Wenn du deine Ahnen triffst, töte die Ahnen! Wenn du Vater und Mutter triffst, töte Vater und Mutter! Wenn du Buddhas Jünger triffst, töte Buddhas Jünger! Wenn du deine Verwandten triffst, töte deine Verwandten! Nur so wirst du die Erlösung erlangen, nur so den Netzen entfliehen und frei werden.« Das heißt natürlich: »Wenn dir während des Zazen der Gedanke an Buddha kommt, so weise diesen Gedanken ab, usw.«

Daß dieser Zustand des Nichtdenkens alles andere als ein Zustand ist, in dem keinerlei geistige Tätigkeit stattfindet, konnte neuer-

96

dings auch durch die Beobachtung der Gehirnwellen und Hautre-
flexe während des Zazen bestätigt werden. Wenigstens bei Menschen, die im Zen fortgeschritten sind, z. B. bei den Zen-
Mönchen, treten bald Alphawellen und später auch Thetawellen
auf.

Fassen wir zusammen: Es kommt bei der inneren Haltung des
Zazen darauf an, daß jede Ich-gelenkte Tätigkeit eingestellt wird.
Das Ich muß passiv werden, rezeptiv, geöffnet. Es ist nicht die
Einstellung des Redens, sondern des Hörens, freilich nicht in
dem Sinne, daß man etwas hören möchte, denn das wäre doch
wieder eine Ich-gelenkte Tätigkeit. Das Ganze etwas anders
ausgedrückt: man muß in tiefere Bewußtseinsschichten eindringen. Das kann man aber nicht erzwingen, sondern muß es
geschehen lassen.

Um diese innere Haltung zu verwirklichen, gibt es quasi als
Hilfsmittel drei verschiedene Verhaltensweisen: (1) Man konzentriert sich auf den Atem. (2) Man beschäftigt sich mit einem
Koan. (3) Man sitzt einfach, ohne eine solche Krücke zu gebrau-
chen.

Gehen wir die drei Möglichkeiten durch:

Die *Konzentration auf den Atem* kann in verschiedener Weise
geschehen. Man beginnt gewöhnlich damit, den Atem zu zählen,
und zwar von 1 bis 10 und dann wieder von 1 anfangen. Man
zählt dabei das Einatmen auf die ungeraden Zahlen und das
Ausatmen auf die geraden. Eine andere, ähnliche Methode
besteht darin, daß man dem Atem im Geiste folgt, ohne zu
zählen. Diese Konzentration auf den Atem – egal auf welche Art
– hilft einerseits, das Auftauchen von Gedanken einzuschränken,
andererseits hindert sie das Versinken in tiefere Bewußtseinsebe-
nen nicht, weil es eine ganz einfache Tätigkeit ist. Die Methode,
sich auf den Atem zu konzentrieren, ist übrigens nicht vom Zen
erfunden worden, sondern geht wie der Lotussitz auf die vor-
buddhistische Zeit zurück. Sie war ursprünglich auch nicht nur
eine technische Hilfe, sondern hatte einen tieferen Sinn. Atem
bedeutet Leben. Langes Fasten kann der Mensch aushalten, ohne
zu sterben, aber wenn er wenige Minuten ohne Atem ist, stirbt er.

Vielleicht deswegen waren die früheren Kulturen fast durchwegs davon überzeugt, daß der Atem dem Geistigen nahe steht.

Oft benützte man für beides dasselbe Wort. (Im biblischen Schöpfungsbericht heißt es bekanntlich, daß Gott dem Menschen, nachdem er seinen Leib aus Erde geformt hatte, den Odem des Lebens ins Angesicht hauchte.) Natürlich soll nun beim Zazen nicht über den tieferen Sinn des Atems nachgedacht werden, aber das Wissen um diese Zusammenhänge kann dem Anfänger das Zählen des Atems vielleicht sympathischer machen.

Als zweites Hilfsmittel wurde die *Konzentration auf ein Koan* erwähnt. Dieses Koan (chinesisch: Kung-an) ist ein kurzer Text, der einen Widerspruch oder ein Paradox enthält, auf das es verstandesmäßig keine Antwort gibt. Zwar gibt der Meister dem Schüler in der Regel eine Erklärung dazu, aber auch diese ist nicht ohne weiteres verständlich, wenn man nicht schon einen tieferen Einblick in das Zen gewonnen hat. Insgesamt gibt es im Zen 1700 Koan, die meisten in der Form des »mondo«, das bedeutet Frage (mon) und Antwort (do) zwischen Meister und Schüler. Hier einige Beispiele:

Den Meister Chaochou fragte einst ein Mönch, ob auch in einem Hündlein die Buddhanatur sei. Chaochou sprach: »Wu« (Nichts). Oder: Einst bat ein Mönch den Chaochou: »Meister, ich bin noch ein Neuling; zeige mir den Weg.« Chaochou sprach: »Hast du schon dein Frühstück beendet?« Der Mönch sprach: »Ich habe mein Frühstück beendet.« Darauf Chaochou: »Geh' und säubere die Eßschalen!« Der Mönch kam zur Einsicht.

Ein drittes Beispiel: Der japanische Meister Hakuin klatschte in die Hände, dann erhob er die eine Hand und verlangte von seinem Schüler: »Höre den Ton der einen Hand!«

Mit Hilfe eines Koan sind ohne Frage viele Zen-Schüler zur Erleuchtung gekommen. Diesen Prozeß kann man sich etwa so vorstellen: Der Schüler sucht zunächst eine logische Lösung zu finden. Nach einiger Zeit wird es ihm klar, daß es auf diesem Weg keine Lösung gibt. Nun gibt er das logische Denken auf. Aber inzwischen ist er so in das Problem verstrickt, daß er es nicht mehr los wird. Dazu kommt, daß er immer wieder vom Meister gerufen und zu einer Antwort gedrängt wird. Er ist – so ein bekanntes Bild – in einer Verfassung wie jemand, der eine glühende Kugel verschluckt hat und sie ausspeien möchte, aber nicht kann.

Das ist der Zustand des »großen Zweifels«, von dem im Zen oft die Rede ist. Wo er geht und steht, verfolgt den Schüler das Koan. Er hat es beständig im Sinn. Er ist sozusagen Tag und Nacht mit dem Koan beschäftigt. Da, eines Tages oder Nachts, hat er plötzlich das Gefühl, als ob er selbst das Problem geworden wäre. Er ist selbst das Nichts des Chaochou geworden oder die eine Hand, von der Hakuin sprach, und das eigene Ich ist verschwunden. Wenn er nun unermüdlich weiter übt, verschwindet auch das Koan wieder aus seinem Bewußtsein. Damit ist die vollkommene Leere des Bewußtseins hergestellt, die als Voraussetzung für die Erleuchtung gilt. Es bedarf dann meistens nur einer anscheinend unbedeutenden sinnlichen Wahrnehmung, z. B. eines Schlages der Tempelglocke oder auch nur des kaum hörbaren Fallens eines Blattes von einem in der Nähe stehenden Baum, und der Geist öffnet sich. Das große Erlebnis ist da.

Trotz der guten Erfahrungen, die man mit dem Koan gemacht hat, ist es aber nur ein Mittel und nicht das Wesen des Zen. Die Benutzung ist denn auch nach Zen-Schulen oder Sekten und nach einzelnen Meistern verschieden. Von den beiden großen Sekten Soto und Rinzai benutzt die erstere das Koan grundsätzlich nicht, während Rinzai es sehr ausführlich tut. Wer dort Zen-Meister werden will, muß alle Koan lösen, was allein viele Jahre in Anspruch nimmt.

Der dritte Weg zur Erleuchtung ist das »shikantaza«, das »Nur-Sitzen«, wie man wörtlich übersetzen könnte. Man nennt dieses Verfahren so, weil man sitzt und atmet, wie es vorgeschrieben ist, aber keinerlei Hilfsmittel, weder Konzentration auf den Atem noch ein Koan, benutzt. Wenn Gedanken kommen, geht man ihnen weder nach noch vertreibt man sie. Ein neuerer Meister, Sogaku Harada, hat das einmal in folgender Weise zu beschreiben versucht:

»Es ist etwa wie der am Ostmeer majestätisch emporragende
Fuji-Berg. Unbeweglich stehen die grünen Berge. Die weißen
Wolken kommen und gehen! – Aber der Vergleich ist wohl noch
zu schwach. Vielleicht sollte man besser sagen: Das Zazen ist ein
Gefühl so massiv, als ob das Sitzkissen zum Erdball geworden sei
und das Weltall den Unterleib ausfüllte. Denke das Nicht-
Denken, das ist der Schlüssel zu Zazen; das ist sein Lebensnerv.«

Aus: Praxis und Vollzug der Zen-Meditation 1985/86

39 Der Meister

Wir kommen jetzt zu einem neuen, sehr wichtigen Punkt. Es ist
die persönliche Leitung der Schüler durch den Zen-Meister. Im
Sinne des Zen gesprochen, ist der Hauptgrund für diese Leitung,
daß das wahre Zen, besonders die Erleuchtung, nicht durch
theoretische Unterweisungen, sondern durch Initiation weiterge-
geben werden kann. Das Zen ist eben mehr als bloße Technik
oder Methode.
Das Zen enthält etwas Geistiges, das übertragen oder weitergege-
ben werden soll, nämlich eine Erfahrung von höchster Intensität.
Daher gilt die Leitung durch den Zen-Meister von jeher als
Wesensbestandteil des Zen. Auch hier kommt der tiefere Sinn der
Sache durch ein Zeremoniell zum Ausdruck. Der Zen-Meister ist
für den Schüler nicht irgendein Lehrer, sondern der Buddha
selbst. Der Schüler nähert sich ihm auf beiden Knien mit dreima-
liger oder sogar neunmaliger Verbeugung bis zum Boden und
rutscht nach der letzten Verneigung bis auf 20 cm an den Meister
heran. Während dieser Begegnungen, die in einem eigens für
diesen Zweck bestimmten Raum stattfinden, wird über nichts
anderes gesprochen als über Zazen. Bald berichtet der Schüler
von seiner Erfahrung oder von seinen Schwierigkeiten, bald stellt
der Meister ihm Fragen. Im allgemeinen ist das Gespräch kurz.
Oft dauert es nur eine Minute oder noch weniger. Das genügt für

den Meister, um zu sehen, wo der Schüler steht. Der Meister hat eine kleine Schelle neben sich stehen, die er läutet zum Zeichen, daß das Gespräch zu Ende ist. Sofort zieht sich der Schüler in derselben Weise zurück, wie er gekommen ist, und geht in die Zen-Halle zurück, wo er die Meditation fortsetzt.

Die Wahl des Zen-Meisters steht jedem Interessenten frei. Hat man aber die Wahl getroffen und ist vom Meister als Schüler angenommen, so gilt die Regel, daß man den Meister nicht wechselt. Bedeutende Meister lassen Bittende oft lange warten, lehnen sie bisweilen auch mit harten Worten ab, um zu sehen, ob es ihnen mit ihrem Wunsch wirklich ernst ist. Sollte man aus schwerwiegenden Gründen den Meister trotzdem wechseln, dann tritt eine andere Regel in Kraft. Man muß alles vergessen, was man vom vorhergehenden Meister gesagt bekommen hat, d. h. man muß sich vorbehaltlos von dem neuen Meister leiten lassen. (Näheres dazu in meinem Buch: Zazen und die Exerzitien des heiligen Ignatius, 1975).

Aus: Praxis und Vollzug der Zen-Meditation 1985/86

40 Ziele und Wirkungen

Es ist an dieser Stelle Zeit, zwei wichtige Fragen zu stellen: (1) Was ist der eigentliche Zweck dieser Meditation? (2) Was bedeutet sie für den Menschen als solchen, d. h. unabhängig davon, ob er Buddhist oder Christ, Asiate oder Europäer ist?
Das Ziel des Zazen ist von seinem buddhistischen Ursprung her eindeutig bestimmt, nämlich: das Bewußtwerden der »Buddhanatur«. Nach buddhistischer Lehre trägt jeder Mensch diese Buddhanatur in sich. Es ist daher nicht so, daß er etwas werden soll, was er nicht war, sondern daß er sich dessen bewußt werden soll, was er schon immer war.
Mit dem Begriff Buddhanatur ist nun aber im Grunde nicht etwas gemeint, das nur den Buddhisten angeht. Dahinter steht vielmehr

die allgemeine Vorstellung von einem sozusagen doppelten Sein des Menschen. Das eine Sein ist jener Teil unserer Existenz, dessen wir uns alle bewußt sind. Aber das ist nicht alles. Der Mensch hat auch ein Teil an dem einen ungeteilten und absoluten Sein, das allem, was ist, zugrundeliegt. Nach buddhistischer Lehre soll er an diesem absoluten Sein aber nicht nur teilhaben, sondern er muß sich dieses Zustandes auch bewußt werden. In dem Augenblick, wo das geschieht, erfährt der Mensch, daß das, was er bisher für sein Ich gehalten hat, eben doch nicht im ganzen Sinne er selbst ist. In diesem Erlebnis wird er sich eines anderen »überweltlichen«, überindividuellen Seins bewußt. Er ist der Kern dessen, was man mit dem vielzitierten Begriff *Erleuchtung* zu umschreiben versucht.

Nun hat allerdings die Zen-Meditation mit einem solchen Erlebnis ihren Zweck noch nicht voll erfüllt und muß daher auch nach einer derartigen Erfahrung fortgesetzt werden. Denn auch die Erleuchtung ist ja zunächst nur ein erstes Aufleuchten oder ein kleines Licht im Innersten der Seele, das dann stärker und stärker werden muß, bis es alles überflutet, bis alle Gedanken, Worte und Werke unmittelbar von dort ausgehen.

Dann geschieht, was der heilige Paulus sagt: »Ich lebe, aber nicht ich, sondern Christus lebt in mir.« Dieses Wort ist auch den Zen-Meistern bekannt und sie führen es bisweilen an, um verständlich zu machen, was das letzte Ziel des Zazen ist. Davon später noch Genaueres.

Um zunächst die zweite Frage zu beantworten, nämlich, was die Zen-Meditation für den Menschen als solchen bedeutet, dürfen wir uns nicht auf das Endziel, die Erleuchtung, beschränken. Denn schon auf dem Wege dorthin geschieht vieles, das nicht nur für den Buddhisten, sondern für jeden von hohem Werte ist, und zwar gerade in unserer heutigen Zeit. Es sind diese Wirkungen der Zen-Meditation, über die hier einiges gesagt werden soll. Die Wirkungen der Zen-Meditation lassen sich prinzipiell in zwei Gruppen zusammenfassen, nämlich:(a) Gewisse noch zu definierende Kräfte, die einem durch die Übung des Zazen zuwachsen. (b) Einsicht oder intuitive Erkenntniskraft.

Die erstgenannten Kräfte können physisch-somatischer und psychisch-geistiger Art sein. Wir beschränken uns hier auf die geistigen Kräfte, die durch das Zazen geweckt oder freigelegt werden. Es ist vor allem die Fähigkeit, die Zerstreuungen des Geistes abzustellen und seelisches Gleichgewicht und innere Ruhe herzustellen.

Überlegen wir kurz, was das konkret bedeutet. Zunächst wird der Mensch Herr über seine Gefühle. Er wird dadurch ruhiger und innerlich freier, seine Gefühle gehen nicht »mit ihm durch«. Trotzdem bedeutet das nicht passive Gleichgültigkeit oder Verlust an Energie oder Emotionalität. Es gab und gibt auch heute noch Leute aus allen Berufen, die Zazen praktizieren, darunter eine Reihe von Staatsmännern und Großindustriellen. Die Fähigkeit, die Zerstreuungen des Geistes abzustellen, wirkt sich ja auch als Steigerung der Konzentrationsfähigkeit aus, was bekanntlich für jede Beschäftigung von Vorteil ist. Man ist auf diese Weise imstande, sich zu konzentrieren, auch wenn beträchtliche äußere und innere Hindernisse im Wege stehen.

Das erwähnte Gleichgewicht zwischen Emotionalität und Ruhe läßt sich vielleicht durch eine Erklärung von Prof. Schultz, dem Erfinder des autogenen Trainings, verstehen. Schultz sagt, man müsse dafür sorgen, daß die Reize, denen wir beständig ausgesetzt sind, sich nicht im Vegetativen festsetzen. Wenn das verhindert wird, werden sie ganz natürlich aufgenommen und empfunden, klingen aber schneller wieder ab. Gehen sie aber tief in den Körper, so setzen sie sich dort fest wie mit einem Widerhaken. Der »Film« läuft dann immer wieder von neuem ab. Eine andere Weise, die hier besprochene Wirkung des Zazen zu erklären, ist die folgende: Man spricht im Zen oft von der Aktivität an der Vorderseite und der Rückseite des Geistes (oder Herzens). Das ist in etwa dieselbe Unterscheidung wie zwischen bewußter und unbewußter Tätigkeit. Die Tätigkeit an der Vorderseite kennen wir und haben sie auch einigermaßen in der Hand. Anders ist es mit der Rückseite.

Viele Menschen wissen gar nicht, was dort bei ihnen geschieht. Sie meinen vielleicht, daß sie in ihren Entscheidungen frei und

objektiv sind, werden aber doch weit mehr von ihrem Unterbe-
wußten her geleitet als sie ahnen. Durch das Zazen lernt man nun
auch die Rückseite des eigenen Geistes kennen. Es ist vielleicht
am ehesten mit einer Selbstpsychoanalyse vergleichbar. »Man
versteht plötzlich den wahren Zustand seines Geistes«, wie
einmal jemand von der Erleuchtung sagte.
All das wirkt sich natürlich auch auf das Religiöse aus. Die
erhöhte Konzentrationsfähigkeit erleichtert die Aufmerksamkeit
bei Gebet und liturgischen Handlungen. Die Selbstbeherrschung
und innere Freiheit gibt dem Menschen größere Möglichkeiten,
anderen von Nutzen zu sein. Dazu kommt sicher auch eine Art
ethischer Vervollkommnung: Das Negative und Abwegige wird
allmählich aufgelöst, weg-meditiert. Neid, Haß und Mißgunst
verschwinden oder werden gegenstandslos, und der Mensch wird
frei und echter Liebe fähig.
Nun zur Einsicht, der zweiten Wirkung des Zazen.
Die menschliche Erkenntnis kann auf zweierlei Weise vor sich
gehen, diskursiv und intuitiv. Dazwischen liegen zahllose Kom-
binationen. Die diskursive Weise schreitet von einer Wahrheit
zur anderen. Die intuitive erkennt die Wahrheit unmittelbar. Die
erstere ist ihrer Eigenart nach auf die Einzeldinge gerichtet, die
letztere vor allem auf das eine, absolute Sein. Nun besteht
zwischen beiden Erkenntniswegen sicher eine enge Beziehung.
Sie läßt sich zwar nur andeuten, aber manches spricht dafür, daß
sich das diskursive Denken durch das intuitive Denken überhö-
hen läßt.
Thomas Merton, der als Mönch in einem Trappistenkloster in
Nordamerika gelebt und den Weg zur fernöstlichen Weisheit
gesucht und gefunden hat sowie als einer der bedeutendsten
Mystiker dieses Jahrhunderts gilt, hat das einmal so formuliert:
»Jede Philosophie und Theologie, die sich über die Bedeutung
der wahren Ordnung der Dinge klar ist, strebt danach, über der
Wolke den Gipfel des Berges zu erreichen, auf welchem der
Mensch hoffen kann, dem lebendigen Gott zu begegnen. Jede
Wissenschaft müßte erfüllt sein von dem Bewußtsein ihrer Gren-
zen und vom Verlangen nach einer lebendigen Erfahrung der

Wirklichkeit, welche dem spekulativen Denken unerreichbar ist.«

Was wir heute in den Naturwissenschaften erleben, scheint diese Auffassung zu bestätigen. Gerade ihre größten Vertreter versuchen von der Vielheit zur Einheit zu kommen und damit zum letzten Sein, das diskursiv nicht mehr erfaßbar ist. Wenden wir dies auf die christliche Meditation an, so heißt das: Die Betrachtung, im Sinne der gegenständlichen auf das Einzelne gehenden Betrachtung, kann uns die religiösen Wahrheiten nur unvollkommen mitteilen. Das gilt besonders von der Erkenntnis des Absoluten, im christlichen Sinne des persönlichen Gottes. Denn dieses bzw. dieser entzieht sich jeder Begrenzung, jeden Begriffes und Wortausdrucks. Viele Menschen haben heute ihren Gottesglauben ohne Frage deshalb verloren, weil sie keinen anderen Weg vorfanden, tiefer in das Geheimnis Gottes einzudringen, als den hergebrachten diskursiven. Ein anthropomorpher Gottesbegriff ist für viele Menschen aber mit dem besten Willen nicht mehr vollziehbar und solange wir Gott begrifflich erfassen wollen, erfassen wir ja tatsächlich nicht ihn selbst, sondern nur ein Bild von ihm.

Die Betrachtung darf daher nicht bei den Einzeldingen stehenbleiben, sondern muß zur intuitiven, nicht-diskursiven Meditation werden.

Hier ist ein sehr wichtiges Moment für die Begegnung des Christentums mit dem Buddhismus, speziell mit Formen des Buddhismus wie das Zazen sie vertritt. Die Einsicht oder intuitive Erkenntnisfähigkeit, die durch die Zen-Übung gefördert wird, ist ja eben jene Fähigkeit, die dem Christen in unserer Zeit oft genug verloren gegangen ist.

Der Osten kennt auch heute noch ein »Organ« für die intuitive Erkenntnis. Es ist der »Grund« – »Seelengrund« würden die Mystiker sagen – oder das »dritte Auge«.

Wir sind gewohnt, geistige Empfindungen auf Verstand und Willen zu reduzieren. Man erkennt beispielsweise etwas als gut und liebenswert, daraufhin leitet dann der Wille einen Akt der Liebe ein, dessen Gegenstand eine Sache oder Person sein kann.

Nach der östlichen Erklärung muß diese Liebe aber in jenem Grund »empfangen und geboren« werden.

Dieser Grund ist wie eine »geistige Erde«, aus der alle Gefühle und Empfindungen hervorgehen. Auch die religiösen Gefühle, vorab der Glaube, kommen nur auf diesem Wege zustande. Der Befehl des Willens genügt selbst bei bester Erkenntnis nicht. In unserem westlichen Kulturkreis ist nun diese geistige Erde durch das Übergewicht des materialistischen und rationalen Elementes gewissermaßen überwuchert oder sterilisiert. Daraus entsteht die überall anzutreffende geistige Not dieser Zeit. Die Zen-Meditation spricht eben diesen Grund an und macht ihn wieder fruchtbar, und zwar dadurch, daß sie das diskursive Denken beiseite läßt.

Wenn man von diesen Wirkungen des Zazen hört, liegt die Frage nahe, auf welche Weise denn dies alles zustande kommen soll. Sicher spielt dabei die Tatsache eine Rolle, daß das Zazen ein *Versenkungsweg* ist und daher auch wie alle echten Versenkungswege ein *Läuterungsweg*. Es wird beispielsweise vorausgesetzt, daß jeder, der den Weg zur Erleuchtung gehen will, bereit ist, das Buddhagesetz zu beachten und ein sittenreines Leben zu führen. So ist das Leben in den Zen-Klöstern in vieler Beziehung sehr streng. Beispielsweise gibt es 7-tägige Zen-Übungen, in deren Verlauf weder bei Tag noch bei Nacht auch nur eine Minute geschlafen werden darf.

Wahrscheinlich gibt es in keiner Religion einen so radikalen Weg der geistigen Losschälung wie im Zen. Wer diesen Weg unter Leitung eines strengen Meisters geht, wird das bald bemerken. Man darf sich an nichts hängen, nirgends stehen bleiben, weder bei guten noch bei schlechten Gedanken und Gefühlen. Die geringste Ausnahme bedeutet Stillstand. Wer den Weg einmal ernstlich angetreten ist, kann nicht mehr zurück, d. h. er kann nicht noch einmal sein, wie er vorher war. Er hat Dinge erlebt, die er nicht mehr vergißt. Es hilft nichts, er muß tiefer in das Dunkel hineingehen, bis das Licht aufleuchtet, das er ersehnt. Aber wann dieser glückliche Augenblick kommt, weiß er nicht und das kann ihm auch niemand sagen. Er hat nicht einmal die

106

Garantie, daß er jemals zum Licht kommt. Nur eines weiß er, nämlich, daß die Zeit nicht verloren ist, wenn er durchhält. Er bemerkt, daß sich sein Leben wandelt, und daß er nicht zuletzt im Dienste seiner Mitmenschen mehr tun kann, als wenn er diesen Weg niemals angetreten wäre.

Aus: Praxis und Vollzug der Zen-Meditation 1985/86

41 Die Erleuchtung

Die Erleuchtung ist das eigentliche Ziel des Zen.
Eine begriffliche Erklärung der Erleuchtung gibt es im Grunde nicht. Wenn wir trotzdem darüber sprechen wollen, ist zunächst zu sagen, daß es sich im Sinne des eben Gesagten um keine Einzelerkenntnis handelt. So gesprochen, weiß man nachher nicht mehr als vorher, – aber man weiß das bereits Gewußte in einer neuen Dimension. Ohne allen Zweifel wird in der Erleuchtung also ein erfahrungsmäßiges Wissen erlangt und nicht ein theoretisches. Die Dimension dieser Erfahrung kann gleichwohl gewaltig sein. Als Kosen Imakita, ein japanischer Zen-Mönch aus der Meiji-Zeit, die Erleuchtung erlangte, rief er aus: »Eine Million Sutras (Bände heiliger Schriften) sind nur wie eine Kerze vor der Sonne.«
Fragen wir uns nun konkret, was in der Erleuchtung eigentlich erfahren wird, so kann man darauf wenigstens zwei Antworten geben. Zum einen erfährt man etwas, das man das Selbst, das tiefste Selbst, im Gegensatz zum bloß empirischen Ich nennen könnte. Es ist dies eine elementare Erfahrung der eigenen Existenz, eine »unmittelbare Selbstwahrnehmung«, die sich von dem alltäglichen Ich-Bewußtsein quantitativ und qualitativ beträchtlich unterscheidet, aber als Erfahrungstatsache eben nur schwer in Worten beschreibbar ist.
Das gleiche gilt für die zweite Antwort auf die Frage nach dem Inhalt der Erleuchtung: das Erlebnis des ungeteilten, absoluten

Sein. Dieses Sein kann apersonal oder personal erfahren werden.

Man wird heute kaum in Frage stellen, daß die Zen-Erleuchtung und ähnliche Erlebnisse in nichtchristlichen Religionen echte Erfahrungen des Absoluten sind, wenn auch nicht personale. Wären sie personal, so würden sie gleichbedeutend mit der Gotteserfahrung im christlichen Sinne sein. Die Ausformung dieser Erfahrung, vor allem aber der Versuch, sie in Begriffe zu spannen, ist nach der jeweiligen Weltanschauung verschieden. Eine echte mystische Erfahrung sträubt sich eben gegen jede Begrifflichkeit. Daher wird jeder, der es versucht, die ihm zu Verfügung stehenden Kategorien zu Hilfe nehmen, wobei es dann naturgemäß sehr leicht zu Mißverständnissen kommt.

Der Buddhist erfährt in der Erleuchtung sein tiefstes Selbst als eins mit dem absoluten Sein und wird dadurch in seinem Glauben an die vollkommene Einheit des Seins bestärkt. Der Christ (oder sonst an einen persönlichen Gott Glaubende) erfährt das Selbst nicht nur in sich, sondern auch in seiner Beziehung zum absoluten Sein. Er erfährt Gott in seinem Selbst, das Selbst wird also nicht in das Absolute »eingeschmolzen«. Trotzdem sagt Meister Eckhart: »Da ist Gott mein Grund und mein Grund Gottesgrund.« Damit ist die für die christliche Mystik typische Liebesvereinigung mit Gott angesprochen. Beide, der Buddhist und der Christ, fühlen sich jedenfalls in ihrer Erfahrung von Furcht und Zweifel befreit und erfüllt von tiefem Frieden und höchster Freude.

Sei es im buddhistischen Sinn oder im christlichen, die Erleuchtung ist ohne Zweifel eine hochwertige Erfahrung und, richtig verstanden, vielleicht die wertvollste, die dem Menschen möglich ist. Wenn man von den Erleuchtungserlebnissen großer Meister liest oder hört und sich etwas eingehender damit beschäftigt, ist daher der Wunsch recht naheliegend, auch selbst einmal ein solches Erlebnis zu haben. Freilich wagt man in der Regel nicht zu hoffen, daß das jemals Wirklichkeit wird.

Es ist aber nicht so aussichtslos, wenigstens eine kleine Erleuchtung zu erlangen. Es müssen nur die Bedingungen dafür geschaffen werden, vor allem durch den eigenen vollen Einsatz und die

108

richtige Führung. Immerhin sind in letzter Zeit Fälle, in denen
auch Europäer durch Zen-Übungen zu Erleuchtungserlebnissen
kamen, gar nicht mehr so selten.

Aber was uns noch hoffnungsvoller machen sollte, ist eine
generelle, immer deutlicher sich abzeichnende Entwicklung des
Menschen in dieser Richtung einer ganzheitlichen Welterfah-
rung. Die Erleuchtung ist sicher ein wesentlicher Aspekt dieser
neuen Dimension. Das gilt vom Zen-Erlebnis ebenso wie von der
christlichen Mystik.

Auf beiden Wegen sind solche Erfahrungen in den letzten Jahren
so häufig, daß sich mit Recht sagen läßt, was früher nur für
wenige begnadete Menschen zugänglich war, kann heute für
viele Wirklichkeit werden. Der Mensch der Zukunft sollte und
wird Mystiker sein, wenn er die Chance nützt, die ihm gegeben
wird.

Aus: Praxis und Vollzug der Zen-Meditation 1985/86

42 Kosen Imakita: Wie einer, der von den Toten auferstanden ist

Diese Wirkung des Zazen, die *Erleuchtung* oder Wesensschau,
liegt jenseits aller Begriffe, läßt sich durch keine Philosophie
oder Weltanschauung fassen, wie sie auch an keine von diesen
gebunden ist. Sie ist ein reines Faktum und hat doch die Kraft,
den Menschen von allen Sorgen und Ängsten zu befreien. Sie
fallen ab wie ein schmutziges, von Nässe schweres Kleid. Der
japanische Zenmeister Dogen (1200–1253) sagte vom Augenblick seiner Erleuchtung: »Leib und Geist sind ausgefallen.« Es
gibt heute schon viele Erlebnisberichte über diese Erfahrung,
auch einige von Europäern. Wir möchten jedoch den Bericht
des Japaners Kosen Imakita anführen, weil er besonders aufschlußreich ist: »Als ich eines Nachts in Meditation versunken
war, geriet ich plötzlich in einen ganz merkwürdigen Zustand.

Ich war wie tot. Alles war abgeschnitten. Es gab kein Vorher und Nachher mehr. Der Gegenstand und mein Selbst waren verschwunden. Das einzige, das ich fühlte, war, daß das Innere meines Selbst vollkommen geeint und erfüllt war von allem, was oben und unten und ringsum war. [. . .] Nach einer Weile kam ich wieder zu mir wie einer, der von den Toten auferstanden ist. Mein Sehen, Hören, Reden, meine Bewegungen und meine Gedanken waren ganz verschieden von dem, was sie bisher gewesen waren. Als ich tastend versuchte, an die Wahrheiten der Welt zu denken und den Sinn des Unbegreiflichen zu erfassen, verstand ich alles.« Begrifflich läßt sich eine solche Erfahrung nicht adäquat ausdrücken. Denn alles Begriffliche enthält immer schon eine Interpretation und ist nicht mehr die Sache selbst. Mit diesem Vorbehalt läßt sich wohl sagen, daß die Erleuchtung die Erfahrung absoluter Wirklichkeit ist. Wir vermeiden das Wort »Gott«, schon deshalb, weil mit ihm bestimmte weltanschauliche Vorstellungen assoziativ verbunden sind und damit diese Erfahrung vorstellungsmäßig abgegrenzt würde, was ihr durchaus widerspricht. Wer diese Erfahrung hat, der weiß, daß es diese andere Welt gibt, gleich ob er früher schon daran geglaubt hat oder nicht. Es gibt heute viele Menschen, die diese All-Einheit des Seins erfahren haben, auch unabhängig von der Übung des Zen oder sonst einer Meditationsweise. Allerdings ist hinzuzufügen, daß die Erfahrung der All-Einheit noch nicht das Ganze der Zenerleuchtung ausmacht, sondern nur eine Seite davon ist.
Ist nun mit dieser Erfahrung allein schon eine Bewußtseinsveränderung verbunden, nicht nur im Augenblick der Erfahrung selbst, sondern auch später, so daß etwas davon bleibt außer einer schönen Erinnerung? Bei den meisten Menschen, die eine solche Erfahrung ohne bewußte Vorbereitung gemacht haben, bleibt tatsächlich nichts als eine Erinnerung. Sie wissen nicht mit dieser Erfahrung umzugehen, und wenn sie jemanden fragen, finden sie meistens kein Verständnis, werden vielleicht sogar zu einem Psychiater geschickt. Wenn solche Menschen aus irgendeinem Motiv zum Zen kommen, berichten sie einmal dem Zenmeister davon, um so vielleicht nach vielen Jahren Verständnis zu

110

finden, auch wenn der Zenmeister diese Erfahrung nicht im vollen Sinn als Zenerleuchtung anerkennt. Jedenfalls wird er ihnen, auch wenn er die Erfahrung anerkennt, sagen, sie müßten nun viel meditieren, um die Erleuchtung zu integrieren. Wenn sie diesem Rat folgen, vollzieht sich allmählich auch eine bleibende Veränderung des religiösen Bewußtseins.

Hier ist allerdings zwischen »großer Erleuchtung« und »kleiner Erleuchtung« zu unterscheiden. In beiden wird zwar dieselbe letzte Wirklichkeit erfahren, aber doch mehr oder weniger tief. Die große Erleuchtung, wie sie etwa Buddha hatte, brachte gewiß eine tiefe Bewußtseinsveränderung, soweit das wenigstens aus den Berichten zu entnehmen ist. Dasselbe gilt von Ramana Maharshi, einem Inder, der dieses Erlebnis schon mit 16 Jahren ohne jede Vorbereitung hatte, und zwar so stark, daß er Jahre brauchte, bis er einigermaßen zur Ruhe kam und normal mit seinen Mitmenschen verkehren konnte. Er hat dann vielen Menschen auf ihrem inneren Weg geholfen, bis er vor etwa 30 Jahren diese Welt verließ.

Wenn die Erleuchtung durch viele Übung wirklich integriert wird, wächst sozusagen ein neues Bewußtsein, in dem der Mensch seine Entscheidungen nicht mehr auf dem Weg des Nachdenkens und Abwägens, sondern unmittelbar und sicher trifft. Dann bewahrheitet sich ein Wort von Johannes Tauler: »Dann weiß der Mensch augenblicklich, was er tun, worum er bitten oder worüber er predigen soll.«

Aus: Verändert die Praxis der Zen-Meditation das religiöse Bewußtsein? 1983

VI Transparenz Gottes im Alltag

Wenn der Mensch aus der hinderlichen Raum-Zeit-Bedrängnis befreit und mittels des neuen Bewußtseins in die vierte Dimension vorgedrungen ist, erlebt er in der Überwindung aller Dualismen das ungeteilte Ganze, das göttliche Milieu (43). Wie Enomiya-Lassalle immer wieder betont, geht der Weg des Menschen weiter voran, auf eine vollkommene Stufe. In zunehmendem Maße werden noch heute gültige Strukturen hinfällig (44), auch Dogmen werden wir nicht mehr benötigen.

Der Weg in die Befreiung, in die Loslösung vom Ich, führt über die gegenständliche Meditation zur Transparenz des Unbewußten (45). Unser Leben wird ein Wahrnehmen der Gegenwart sein, ein ständiges Erleben des Augenblicks, der durch seine Zeitlosigkeit zur Ewigkeit wird. Die Suche nach unserer Quelle, der Weg zu unserem Seelengrund, wird immer mit einer religiösen Erfahrung verbunden sein. Ob für das Auffinden der göttlichen Wirklichkeit die heutige Form der Kirchen nützlich oder hinderlich ist, mag dahingestellt sein (46). Das Letzte und allein Gültige ist unser Ziel, für das die ungegenständliche Meditation ein empfehlenswerter Weg ist (47). Im integralen, kosmischen Bewußtsein wird der Mensch die All-Einheit als zeitlos und ewig erleben.

»Wer wird das Herz des Menschen halten, so daß es stillstehen kann und sehen, wie die Ewigkeit, die immer stillsteht, weder vergangen noch zukünftig ist?«   *Aurelius Augustinus*

43 Das göttliche Milieu

Die Veränderungen im Denken, die auf vielen Gebieten zu beobachten sind, zeigen, daß das neue Bewußtsein sich auszuwirken begonnen hat. Das rationale Denken ist nicht mehr alleingültig. Die seit mehr als zwei Jahrtausenden unüberwindlichen Schranken sind durchbrochen. Die vierte Dimension wirkt sich schon aus, wenn sie auch noch nicht im Allgemeinbewußtsein des Menschen lebendig ist. Es gibt viele Gebiete, auf denen die Philosophie des Entweder – Oder, des »Non datur tertium«, d. h. das unüberwindlich scheinende Prinzip des Widerspruchs (principium contradictionis) überwunden ist. Wenn das auch nur auf einem Gebiet geschehen wäre, so würde das schon genügen. Denn es gehört zum Wesen dieses Prinzips, daß es keine Ausnahme duldet. Die gesamte ehemalige Philosophie gerät damit ins Wanken.

Das perspektivische Denken ist also grundsätzlich überwunden. Und zwar ist das geschehen durch eine neue Dimension des menschlichen Bewußtseins, die rational nicht faßbar ist. Das muß ja so sein; denn wenn diese Dimension rational erfaßbar wäre, so wären wir nicht über das rationale Denken hinausgekommen. Allerdings erweisen diese Anzeichen nur die Möglichkeit, nicht aber die volle Integration dieser neuen Dimension in das allgemeine Bewußtsein der Menschheit, so wie es zu ihrer Zeit jeweils mit den vorhergehenden Bewußtseinsstrukturen der Fall war.

Damit ist aber die Möglichkeit erwiesen, den Menschen aus der Bedrängnis der Zeit zu befreien und anstatt dessen zeit-frei zu machen, was ja im wesentlichen dasselbe ist wie die neue Dimension. Daß diese neue Dimension Wirklichkeit wird, ist die dem heutigen Menschen gestellte Aufgabe. Mit dem Bewußtwerden der vierten Dimension werden die bisherigen Dimensionen, die magische, mythische und mentale jedoch nicht ausgeschaltet. Vielmehr bleiben sie gültig und wirksam, aber nicht maßlos in ihrer defizienten Form, sondern in dem Maß, wie es ihnen für die Harmonie des Menschen zukommt. Daher wird das neue Be-

wußtsein auch integrales genannt. Durch die vierte Dimension
wird das Ganze stets mitbewußt. Dieses Ganze ist das Geistige.
Man könnte es auch das Göttliche nennen, das göttliche Milieu
Teilhards.

Aus: Wohin geht der Mensch 1981

44 Hoffnung in der Krise: Transparenz des Göttlichen im neuen Menschen

Teilhard de Chardin hat schon klar gesehen, daß die Evolution zu
einem immer vollkommeneren Menschen als solchen hindrängt,
was hier zunächst nicht im moralischen, sondern anthropologi-
schen Sinn zu verstehen ist. Es geht niemals rückwärts. Wir
werden auch gar nicht gefragt, ob wir das wollen. Es geschieht
einfach. Auch die Religionen müssen das respektieren. Sie
müssen sich darauf ein- bzw. umstellen. Es geht heute nicht mehr
um neue Lehren, sondern um neue Ausdrucksweisen derselben
Wirklichkeit, entsprechend dem veränderten Bewußtsein. Wenn
eine Religion das nicht vermag, kann sie nicht überleben, wenn
sie auch mit wenigen Anhängern vielleicht noch eine Zeitlang
weiter vegetiert. In diesem Sinn sagte der Präsident des Club of
Rome bei der Versammlung dieser Organisation in Berlin im Oktober 1979: »Sämtliche Religionen, Konzepte, Prinzipien,
Gesichtspunkte, Vermutungen, Tabus und Wertsysteme, die
unser Leben bestimmen, sind veraltet und unzuverlässig geworden. Aber die Menschheit muß erst einmal begreifen, wie groß
die Gefahr ist, um zur Vernunft zu kommen.« Wenn hier von
Gefahr gesprochen wird, so beinhaltet das alle eingangs erwähnten Probleme. Aber die Gefahr ist gleichzeitig die große Hoffnung der Menschheit, aus der gegenwärtigen Bedrängnis befreit
zu werden.
Wie immer die kommende Welt aussehen mag, wenn sie verwirklicht ist, so wird es eine Welt sein, in der, um nur ein Beispiel
zu nennen, Krieg als Lösung politischer Konflikte ausscheidet.

Schon heute wissen wir, daß die modernen Kriege solcher Art sind und immer mehr sein werden, daß eigentlich kein Gewinner daraus hervorgeht, sondern alle Beteiligten schwer geschädigt werden. Gegenwärtig scheitert noch alles Bemühen, die Kriege zu vermeiden, am einseitigen Dualismus, der im rationalen Denken begründet ist. Wenn einmal das Ganze gleichzeitig im Bewußtsein präsent ist, findet man einen Ausweg. Vielleicht und oft auch sicher werden beide Teile große Opfer bringen müssen. Aber das kann auch ohne Mord und Totschlag geschehen. Gewiß wird auch die kommende Welt nicht frei sein von Problemen. Die eingangs erwähnten Fragen sind nicht ohne weiteres gelöst. Aber die Menschheit wird sich einig sein, auch wenn es der Ordnung wegen noch Zollgrenzen gibt, bis auch diese verschwinden. Es kommt hinzu, daß der vollkommenere Mensch größere Möglichkeiten haben wird. Denken wir an den Wechsel vom mythischen zum mentalen Bewußtsein! Der Mensch des mythischen Bewußtseins hatte auch in seinen kühnsten Träumen keine Ahnung von dem, was sein Nachfolger inzwischen allein auf dem Gebiet der Technik geleistet hat. So kann es nicht anders sein, als daß der neue Mensch Wege findet, von denen wir gegenwärtig nichts ahnen noch wissen. – So gesehen, muß der Mensch den Schritt zum neuen Bewußtsein tun, oder er ist dem Untergang geweiht. In eigentümlicher Weise halten sich die Furcht vor der großen Gefahr und die Hoffnung auf die neue Zeit die Waage. Das ist in der Tat die heutige Situation.
Wo man von dem spricht, was auf uns zukommt, liegt fast immer der Ton auf der Furcht vor dem, was kommt. Vielleicht haben wir gar nicht mehr so viel Optimismus, daß wir ernstlich an den positiven Pol denken können. Teilhard de Chardin ist da eine Ausnahme. Aber bei ihm liegt der Punkt Omega in so weiter Ferne, daß der Mensch von heute sich kaum durch den Gedanken daran ermutigen läßt. Vielleicht fehlt ihm auch die Fähigkeit zu »glauben«. Teilhards Sicht liegt ja auch ganz in der Richtung des christlichen Optimismus, der sich eben gerade auf den Glauben stützt und nicht nur auf die Wissenschaft, die bei Teilhard noch hinzukommt.

Aber wir sollten auch im Auge behalten, was kommt, wenn einmal die gegenwärtige Krise überwunden ist. Das könnte ein besseres Motiv zum Handeln sein als die Angst vor dem, was kommt. Das Geistige oder das Ganze ist uns dann beständig bewußt. Mit dem neuen Bewußtsein würde der Mensch in dem Sinn Mystiker werden, daß mit dem Gebrauch der Vernunft die mystische Präsenz erwacht. In anderen Religionen würde man das in anderer Form ausdrücken, etwa daß sich ohne eigenes Bemühen das Auge der Erleuchtung öffnet. Der neue Mensch wird auf einer höheren Stufe stehen als der Mensch der mentalen Struktur, ebenso wie dieser im Vergleich zum mythischen Menschen. Wie hoch das einzuschätzen ist, erhellt daraus, daß man ohne Übertreibung sagen kann, dieser Schritt habe in der Entwicklung des Menschen außer dem Übergang vom Tier die größte Bedeutung, also auch größere als der Schritt vom mythischen zum mentalen Bewußtsein. Was auch immer wir noch zu leiden haben werden, bis dieser nächste Schritt vollzogen wird, ist der Mühe wert. Vieles, was bisher im Dunkel des Glaubens lag, wird transparent. Die Widersprüche lösen sich von selbst auf.

Es hat auch bisher schon immer Menschen gegeben, die durch viel Leid und außergewöhnliche Begnadigung in etwa das erreicht haben, was dann allgemein zugänglich sein wird. Es wird eine neue und glücklichere Menschheit sein. Und doch verbleibt diesem Menschen auch all das, was ihm seit seinem Erscheinen in der Welt geschenkt wurde, und das im rechten Maß und in Harmonie mit dem Ganzen. Für uns könnte in einem neuen Sinn gelten, was Paulus den Römern zurief: »Wandelt euch durch ein neues Denken« (Röm 12,2).

»Die tiefe Wahrheit des Christentums von der Transparenz, der Diaphanität der Welt, könnte wahrnehmbar werden. Der lautere Einbruch des Jenseits ins Diesseitige, die Präsenz des Jenseits im Diesseitigen, des Todes im Leben, des Transzendenten im Immanenten, des Göttlichen im Menschen könnte transparent werden.« [J. Gebser, Ursprung und Gegenwart 1966]

Aus: Wohin geht der Mensch 1981

45 Das neue Bewußtsein im Alltag

Wie wirkt sich das neue Bewußtsein auf das tägliche Leben aus?
Diese Auswirkung kann erst dann Wirklichkeit werden, wenn es
von der ganzen Menschheit integriert ist. Es wird nämlich eine
Umstrukturierung geschehen, von der wir uns heute kaum eine
Vorstellung machen können. Wer sich jedoch diesem Einfluß
entzieht, wird auf die Dauer ausgeschaltet. Es gibt auch heute
noch verborgene Reste von Menschen, die auf der Stufe des
mythischen Bewußtseins stehengeblieben sind. Nach Integrierung des neuen Bewußtseins bestehen Wissenschaft und Technik
natürlich weiter. Aber der Mensch, der sie vollzieht, wird be-
wußtseinsmäßig anders sein als der gegenwärtige. Er wird zeitfrei sein und daher nicht mehr unter der Bedrängnis leiden wie der
Mensch der mentalen Struktur.

Aber auch nachdem das integrale Bewußtsein Wirklichkeit geworden ist, muß der Mensch sich bemühen, von seiner Ichhaftig-
keit frei zu werden, damit das neue Bewußtsein konsolidiert
wird. Denn die Ichfreiheit ist auch ein Kennzeichen der neuen
Bewußtseinsstruktur. Wenn aber die Arbeit an uns selbst getan
ist, wird sich die Umgebung sozusagen von selbst zurechtrük-
ken.

Was aber kann der Mensch tun, damit er den Einstieg in das neue
Bewußtsein findet? Dafür muß er zunächst um die Sache wissen
und an sie glauben. Leider ist die Zahl derjenigen, die um die
Sache wissen und an sie glauben, gegenwärtig noch sehr gering.
Man könnte an Diogenes denken, der am hellen Tag über den
Markt schritt mit einer brennenden Lampe und, gefragt, was das
solle, antwortete: Ich suche Menschen. Die Welt ist schon voll
von Gerüchten, Vermutungen und Befürchtungen einer Weltka-
tastrophe um das Jahr 2000. Aber was eigentlich »los ist« weiß
kaum jemand. Denen, die es wissen, glaubt man nicht. Deswegen schweigen sie.

Doch gibt es Wege, die Empfänglichkeit für das Kommende zu
fördern. Einer ist die Meditation, die heute so viel gefragt wird.

Aber es muß dann eine Art der Meditation sein, die womöglich nicht rational getätigt wird, eine nicht-gegenständliche Weise. Das Verlangen nach dieser Art der Meditation ist heute in Europa besonders stark. Hier ist ein Ansatz. Denn die ungegenständliche Meditation geht, wenn sie richtig getätigt wird, in die Richtung der Überwindung des Rationalen. Vermutlich gibt es gegenwärtig unter denen, welche diese Meditation üben, nur wenige, die diese Zusammenhänge sehen. Ihre Motive sind im allgemeinen anderer Art. Sie meditieren, um den Streß des modernen Lebens zu ertragen, oder aus religiösen Gründen, z. B. um zu einem tieferen Gebet zu kommen, das jenseits des Rationalen liegt. Eines ist sicher, sie alle arbeiten für das neue Bewußtsein und damit für die Menschheit als ganze, ob sie es wissen oder nicht.

Es ist kein Zufall, daß gerade im Westen, der vom Rationalen geformt ist, neuerdings so großes Verlangen nach der nicht-gegenständlichen Meditation erwacht ist. Anscheinend spürt der westliche Mensch, daß ihm das rationale Denken nicht mehr zum echten Menschsein ausreicht. Die Methoden der nicht-gegenständlichen Meditation können Erfahrungen vermitteln, die für das neue Bewußtsein charakteristisch sind. Es ist natürlich nicht möglich, das im einzelnen für jede Methode darzulegen. Wir beschränken uns darauf, das für eine, nämlich die Zenmeditation, zu verdeutlichen. Diese Methode ist insofern besonders dafür geeignet, als sie von Anfang an das Rationale ausschließt. Das heißt natürlich nicht, daß das Zen den Bereich des rationalen Denkens für alle Gebiete ausschließt oder ablehnt.

Die Erleuchtung, das letzte Ziel des Zen, ist eine Erfahrung des Ganzen und überwindet den Dualismus zwischen Mensch und Welt. Die Erfahrung des Ganzen, die Gänzlichung, ist nun aber eine typische Eigenart des integralen Bewußtseins. Wenn auch nur wenige von denen, welche diese Meditation praktizieren, bis zur Erleuchtung kommen, so kann das Zazen, wie die Zenmeditation auch genannt wird, ihnen doch helfen, sich für das neue Bewußtsein zu öffnen. Desgleichen fördert sie die Transparenz oder Durchsichtigkeit, die auch wieder ein Kennzeichen des neuen Bewußtseins ist. Diese Durchsichtigkeit wirkt sich zunächst auf den Menschen selbst aus in dem Sinn, daß ihm das eigene Unbewußte durchsichtig wird. Aber diese Durchsichtigkeit wirkt sich auch auf die Außenwelt aus. Wenn der Meditierende Christ ist, kann er durch die Übung des Zen einen tieferen Zugang zur Heiligen Schrift bekommen, der über das Rationale hinausgeht, ohne deswegen ein besonderes Studium des Textes vollziehen zu müssen. Auch die Liturgie kann ihm dadurch zugänglicher werden.

Aus: Wohin geht der Mensch 1981

46 Christus ja – Kirche nein: Auf der Suche nach dem Ort göttlicher Wirklichkeit

Dadurch aber, daß mit dem historischen Jesus das Wort, das Gott ist, unzertrennlich verbunden war, ist auch für die Menschheit eine neue göttliche Dimension Wirklichkeit geworden. Dieser Schluß ist durchaus berechtigt, da wir heute mehr denn je die Menschheit als etwas Ganzes betrachten und nicht nur als eine Summe von vielen Einzelmenschen, obwohl auch der einzelne Mensch als solcher da ist in voller Verantwortung. In diesem Sinn sagt Teilhard de Chardin, das große Geheimnis des Christentums sei gerade nicht das Erscheinen, sondern die Transparenz Gottes im Universum. Transparenz und Überwindung des Dualismus sind, wie wir gesehen haben, typisch für das neue Bewußtsein.

Man kann Religion als universales Phänomen betrachten, das von Anfang mit der Geschichte der Menschheit verbunden war. Man kann sie auch im Sinn der verschiedenen Religionen nehmen und schließlich auf das Christentum selbst anwenden. Wenn man Religion als universales Phänomen ansieht, kann man von einer Geschichte der Religion sprechen. Das kam schon bei der

120

Besprechung der verschiedenen Bewußtseinsstrukturen zum Ausdruck. So hat z. B. Mose etwas Neues auf diesem Gebiet gebracht, das seiner Zeit und den obwaltenden Umständen besonders mit Rücksicht auf die Bewußtseinsstruktur entsprach. Dasselbe gilt von Buddha, Mohammed und anderen. Erwähnt seien auch die Rischis der Veden, die ja noch viel früher wirkten als die genannten Personen. Wenn das auch von Christus gesagt wird, so ist damit niemandem Unrecht geschehen und kann daher auch von den nicht-christlichen Religionen akzeptiert werden. Er hat das naturgemäß und sinnvoll in einer für seine Zeitgenossen verständlichen Weise gesagt. Bekannt ist das Wort: »Ich und der Vater sind eins« (Joh 10,30), und etwas später, in der Abschiedsrede vor seinem Leiden:»Wer mich gesehen hat, hat den Vater gesehen« (Joh 14,9). Die obigen Worte wurden im Bild des Vater-Sohn-Verhältnis gesprochen und von seinen Zuhörern, nicht nur seinen Jüngern, sondern auch von seinen Gegnern, sofort verstanden, so daß diese ihn steinigen wollten, da er Gott gelästert hätte, als er sagte: »Ich und der Vater sind eins.«

Es gibt ein anderes Wort von Christus, mit dem er ohne Beziehung zum Vater-Sohn-Verhältnis sagt, wer er sei. Es ist das Wort: »Ich bin das Licht der Welt. Wer mir nachfolgt, wandelt nicht in Finsternis, sondern hat das Licht des Lebens« (Joh 8,12). Dieses Wort ist wohl niemals vorher oder nachher von jemandem gesprochen worden. Und wenn wir die oben angeführte Schriftstelle verstehen, so verstehen wir auch, daß Jesus von Nazaret ohne Überhebung so sprechen konnte. Jean Gebser bemerkt dazu in Verbindung mit der mentalen Bewußtseinsstruktur: »Die erste große, gänzlich in sich gesicherte Helligkeit ist damit in der Menschheit zum Ausdruck gekommen, jene Helligkeit, die zum ersten Mal auszusprechen wagen darf, daß sie das Dunkel, das Leid der Welt, auf sich zu nehmen wage.« Allein schon im Rahmen der Bewußtseinsentfaltung bedeutet das eine offensichtliche Steigerung. Gleichzeitig ist damit eine andere Stellungnahme zum Leiden genommen als jene, die etwa 600 Jahre vorher Buddha seinen Jüngern in den sog. vier Wahrheiten verkündete, nachdem er die Erleuchtung erlangt hatte: Das Leben besteht ganz und gar aus Leiden; das Leiden hat Ursachen (das Verlangen); die Ursachen des Leidens können ausgelöscht werden; es gibt einen Weg, das Leiden auszulöschen. Das Christentum ist den Weg gegangen, der von Christus vorgezeichnet war. Er hat das Leiden auf sich genommen und versucht, es durch die Liebe zur Welt zu überwinden. Wenn Christus sagte: »Ich bin das Licht der Welt«, so lag auch auf dem »bin« und »Welt« ein besonderer Ton. Er ist nicht ein Erleuchteter, sondern das Licht selbst. Mit »Welt« ist das Außen, die Menschheit, gemeint.

Was nun die Auswirkung des neuen Bewußtseins betrifft, wenn es einmal wirklich integriert ist, so ist manches auch im christlichen Sinn eine Erfüllung. Es wurde z. B. gesagt, daß dann erst, aber dann auch mit Gewißheit, die Kriege aufhören würden. Darüber finden wir schon im Alten Testament Voraussagungen eines ewigen Friedens. Denken wir nur an Jesaja, der unter anderem sagt: »Dann schmieden sie Pflugscharen aus ihren Schwertern und Winzermesser aus ihren Lanzen. Man zieht nicht mehr das Schwert und übt nicht mehr für den Krieg« (Jes 2,4). Die Propheten haben all das mit Rücksicht auf das kommende Reich des Messias gesagt. Jedoch ist damit die Erfüllung dieser Prophezeiungen nicht zeitlich auf Jahr und Tag festgelegt. Aber man kann doch in dem, was mit dem integralen Bewußtsein Wirklichkeit wird, einen Beginn der Umwandlung der Welt gemäß den messianischen Weissagungen sehen. Auch das Unsterblichwerden des Körpers steht grundsätzlich nicht im Widerspruch mit dem christlichen Glauben. Denn der Körper gehört auch zu einem menschlichen Wesen. Daher nimmt er auch nach christlicher Auffassung an der Verherrlichung des Geistes teil, wenn das auch nicht innerhalb einer gewissen berechenbaren Zeit geschieht, wie das Aurobindo festzustellen versucht hat, sondern erst »am Ende der Zeiten« in Erfüllung geht.

Doch kehren wir zurück in die Gegenwart; denn auch für den Christen ist diese unsere Weltstunde von großer Bedeutung.

122

Allerdings wird das Christentum besonders im Sinn der Kirchen immer mehr in die Krise kommen, je mehr sich das neue Bewußtsein durchsetzt. Einer der Gründe dafür ist folgender Sachverhalt: Das Christentum ist vor 2000 Jahren auf dem kulturellen und religiösen Hintergrund Palästinas entstanden. Christus und seine Jünger stammten aus diesem Land und hatten fast ausschließlich diese Kultur zu eigen. Die Apostel sind nicht nach Athen und Rom gereist, um auch die dortigen Kulturen zu integrieren und erst dann dem Auftrag Christi entsprechend den christlichen Glauben in der ganzen Welt zu verkünden. Die aus der Lehre Christi sich entwickelnde Theologie jedoch entstand in engster Verbindung mit der griechisch-lateinischen Kultur und weiterhin der Scholastik des Mittelalters. Alle diese Gebiete sind mit vielen anderen heute in Frage gestellt. Das Zweite Vatikanische Konzil wurde eröffnet, um dieser Entwicklung Rechnung zu tragen. Das war das unsterbliche Verdienst von Papst Johannes XXIII. Seither ist auch schon vieles nachgeholt worden und geschieht auch noch vieles, um dieser Lage gerecht zu werden.

Es kommt noch hinzu, daß heute sogar die religiösen Orden, die im Lauf der Jahrhunderte soviel zur Verbreitung und zur Vertiefung des Christentums beigetragen haben, in Frage gestellt werden. Der Unterschied zwischen Klerus und »Welt«, zwischen sakralem und profanem Bereich, ist nicht mehr relevant. Das gleiche gilt entsprechend für die Scheidung zwischen Klerus und Volk. Es ist daher seit dem Konzil auch immer wieder betont worden, daß im Grunde alle Christen gleich sind, wenn auch aus praktischen Gründen innerhalb der Kirche die Arbeitsbereiche noch in etwa getrennt sind. Bezüglich der Orden wird gefragt, ob ihre traditionelle Form noch der Zeit entspricht. Manche Kritiker gehen so weit, daß sie alle Gemeinchaftsformen, seien es Kirchen oder Orden, ablehnen. Das aber entspricht doch wohl nicht der Natur des Menschen und der Religion selbst, weil beide nicht nur Sache des einzelnen, sondern auch der Gemeinschaft sind. Es geht vielmehr darum, neue, zeitgemäße Formen der Gemeinschaft zu finden.

Was die Integration des neuen Bewußtseins in die Religionen

betrifft, so ist das Christentum vielleicht schwerer dadurch betroffen als viele andere Religionen, weil es in seiner Form dem westlichen Denken entsprechend sehr systematisch gestaltet ist. Denn es kann bei der Integration des neuen Bewußtseins nicht darum gehen, daß neue Systeme an die Stelle der alten gesetzt werden, weil Systeme und andere kategorische oder perspektivische Denkweisen diese Integration im Gegenteil blockieren würden. Anderseits – und das ist die Lichtseite in diesem Dilemma – werden uns die Lösungen mit dem neuen Bewußtsein von selbst ein- oder zufallen. Das gilt auch von der so sehnlichst gewünschten Einheit aller christlichen Bekenntnisse. Desgleichen werden die Beziehungen zwischen den Weltreligionen von selbst enger und lockerer werden und so die Spannungen, die heute noch bestehen, sich allmählich selbst lösen.

Wie im einzelnen das Christentum aussehen wird, nachdem das neue Bewußtsein vollkommen in die Menschheit integriert ist, kann heute niemand voraussehen. Wohl aber können und sollen wir uns fragen, was wir tun können, damit die richtigen neuen Formen gefunden werden. Dazu ist an erster Stelle zu sagen, daß wir zu den Quellen zurückgehen müssen, zu Christus und den Jüngern, die mit ihm lebten und ihn erlebten. Allerdings glaubt man, selbst bei den Evangelisten schon eine Weiterentwicklung entdeckt zu haben, so daß das Wasser der ersten Quelle schon getrübt sei. Es gab ja selbst in diesen frühen Zeiten noch andere Berichte über Christus und seine Lehre. Es sei nur hingewiesen auf das Thomas-Evangelium, das bei seiner Auffindung vor etlichen Jahrzehnten großes Aufsehen erregt hat. Es wurde dann aber als nicht authentisch erklärt. Wenn es auch nicht von dem Apostel Thomas geschrieben war, so stammt es doch aus der Frühzeit des Christentums und hat ein eigenes Gepräge. Es ist ein kurzer Text, wohl nur ein Bruchteil des ganzen Evangeliums. Die dort wiedergegebenen Worte Christi sind oft den Zen-Koans ähnlich.

Sei dem wie ihm wolle, eines muß stets festgehalten werden. Angefangen von den Aposteln bis hin zur Lehre der Kirche bzw. der Kirchen, sie alle haben vom Anfang bis zur Stunde keine

andere Aufgabe, als uns mit den Quellen, d. h. mit Christus selbst
zu verbinden, mit seiner Lehre und gottmenschlichen Erfahrung.
Diese Überzeugung war wohl niemals so deutlich und überzeugend wie gerade in unserer Zeit. »Christus ja – Kirche nein« ist
schon zum Schlagwort geworden. Ob mit Recht oder Unrecht,
sei dahingestellt. Aber gerade deswegen, weil alles in Frage
gestellt ist, was dazwischen war, ist der Weg zu den Quellen so
außerordentlich schwer zu finden. Gibt es überhaupt eine Gewähr dafür, daß das, was wir bei unserem Suchen nach den
Quellen finden, auch wirklich die Lehre und Erfahrung Christi
ist? Wenn es überhaupt eine Gewähr gibt, so kann es nur die
eigene religiöse Erfahrung sein, die wir in tiefem Gebet und in
der Kontemplation finden. Nur dort kann uns unmittelbar von
Christus selbst die Antwort gegeben werden. Darum muß das
Suchen nach den Quellen und neuen Formen immer mit der
religiösen Erfahrung verbunden sein.

Aus: Wohin geht der Mensch 1981

47 Wolke des Nichtwissens, oder:
Wie kommt der Mensch im Alltag
an seinen geistigen Ort

Bewußt oder unbewußt sucht der westliche Mensch doch das
Letzte und allein Gültige, das nur Gott sein kann. Schon im
katechetischen Unterricht sollte ein Kapitel über Gotteserfahrung
und eines über Meditation zu finden sein. Solange das nicht der
Fall ist, wird man der spezifischen Eigenart des neuen Menschen
kaum gerecht werden. Kurzum, wer ganz christlich werden und
zu diesem Zweck die Meditation verwenden will, muß früher
oder später zu einer Meditation kommen, die im Grunde der
Seele und nicht nur sozusagen an der Oberfläche des Geistes
vollzogen wird. Ob er dieses Ziel auch ohne Meditation erreichen

kann, ist in der gegenwärtigen religiösen Lage zum mindesten zweifelhaft. Auf jeden Fall muß die dafür notwendige Umwandlung des Menschen bis in den Seelengrund gehen.

Daher nun unsere Frage: Wie kommt der Mensch an den geistigen Ort, wo diese Meditation ansetzt? Wie wird ihm der Weg zu dieser Meditation erschlossen? Die Lösung dieser Frage hat sich im christlichen Bereich schon vor 600 Jahren die kleine Schrift »Die Wolke des Nichtwissens« zum Ziel gesetzt. Der Verfasser scheint ein englischer Kartäusermönch gewesen zu sein. Sein Name ist nicht bekannt, wohl aber steht fest, daß er uns noch andere Schriften hinterlassen hat. Eine davon, die uns in Verbindung mit der Wolke des Nichtwissens besonders aufschlußreich zu sein scheint, trägt den Titel »Persönliche Beratung« (Privy Council. A letter of private Direction, by the author of The Cloud of Unknowing, Ausgabe London 1963; dt.: Der Weg des Schweigens – christliches Zen, Kevelaer 1974). Sie ist in Dialogform gehalten und beantwortet einige Fragen, die beim Vollzug dieser Methode aufkommen können. Privy Council ist daher für das volle Verständnis der »Wolke« von großer Bedeutung. Obwohl die »Wolke des Nichtwissens« schon im 14. Jahrhundert verfaßt wurde, gilt das Wesentliche des dort Gebotenen auch heute noch. Obwohl sie eine ganz christliche Meditationsmethode lehrt, hat sie auffällige Ähnlichkeit mit manchen östlichen Methoden. Wir werden daraus die wesentlichen Punkte anführen und kurz besprechen.

Es ist kein Zweifel, daß diese Schrift eine Anleitung zum mystischen Gebet sein will. Daher gibt der Verfasser in seinem Vorwort zunächst eine Warnung, nur derjenige solle diese Schrift lesen oder sich vorlesen lassen, der »sich mit lauterem Willen und eifrigem Streben entschlossen hat, ein vollkommener Jünger Christi zu sein, nicht nur im aktiven Leben, sondern auch auf dem erhabenen Gipfel des kontemplativen Lebens, ... und der dazu tut, was an ihm ist...« (Die Wolke des Nichtwissens, vgl. Topos-Tb. Nr. 30). Andererseits sagt er, daß jeder, der sich in der gewohnten Betrachtung längere Zeit geübt hat, sich die Weise, die er nun lehren möchte, zu eigen machen könne, wenn er die genannten Bedingungen erfülle.

Mit der Wolke ist die Sphäre gemeint, die sich zwischen Gott und dem Menschen befindet, die der Mensch durchdringen muß, um zu Gott im Sinne der Gotteserfahrung zu kommen. Konkret heißt das, daß der Mensch alles Wissen, das er hat, auch das von sich selbst, vergessen muß. Er soll also nicht über die Glaubenswahrheiten nachdenken, die er früher vielleicht mit großem Trost und Nutzen betrachtet hat: »Bei diesem Werk hat man wenig oder gar keinen Nutzen, wenn man an Gottes Güte und Erhabenheit, an Unsere Liebe Frau oder an die Engel und Heiligen im Himmel denkt, nicht einmal an die Freuden im Himmelreich ... als wolltest du durch diese Betrachtung deinen Vorsatz, dieses Werk zu tun, unterstützen und verstärken ...« Im Gegenteil: »Deshalb rotte alle Erkenntnis und alles Gefühl aus, das du von irgendeinem Geschöpf hast und besonders, das du von dir selbst hast. Denn davon, was du von dir selbst weißt und über dich fühlst, hängt alle Kenntnis und alles Gefühl ab, das du für alle Geschöpfe hast, und es ist unvergleichlich leichter, die übrigen Geschöpfe zu vergessen als dich selbst; denn wenn du eifrig daran gehst, es zu erproben, wirst du finden, daß sogar dann zwischen dir und Gott ein nacktes Kennen und Fühlen deines eigenen Seins bleiben wird, wenn du schon alle anderen Geschöpfe, ihre Werke und dazu deine eigenen Werke vergessen hast. Dieses Kennen und Fühlen muß so lange ertötet werden, bis die Zeit kommt, da du die Vollkommenheit dieses Werkes wirklich fühlst.«

Es heißt: »alle Kenntnis«. Also nicht nur alles Schlechte oder alles, was dem Ziel des Menschen zuwider ist, wie die bösen Neigungen und alles Sündhafte, sondern einfachhin alles Geschöpfliche, auch wenn es gut ist. Man könnte meinen, damit würde alles Geschöpfliche in einer Weise abgewertet, wie es nicht der christlichen Auffassung entspricht.

Aber in der Wolke des Nichtwissens geht es nicht um dieses Problem, sondern – wie wir heute sagen – um die Bewußtseinsleere oder die Entleerung des Geistes. Darum ist in dem Ausrotten aller Kenntnis auch die des Religiösen eingeschlossen, soweit es ein begriffliches Wissen ist oder in Bildern der Vorstellungskraft besteht, wie wir sie bei der gegenständlichen Meditation betätigen. Selbst das theoretische Wissen um Gott muß vergessen werden. Allerdings spricht der Verfasser, der in einer anderen Zeit lebte, nicht von Entleerung des Bewußtseins. Aber sachlich kommt es doch darauf hinaus. Die erste Vorbedingung für die Anwendung dieser Methode, das aufrichtige Bemühen um die Reinheit des Herzens, gilt für alle Zeiten. Denn es wäre Vermessenheit, nach tieferem bzw. höherem Gebet zu verlangen, ohne sich gleichzeitig zu bemühen, von Sünde und ungeordneten Neigungen frei zu werden. Denn dieses Verlangen ist auf die Nähe Gottes gerichtet, während die Sünde in die Gottesferne führt. Es sind zwei einander entgegengesetzte Bewegungen, die sich aufheben würden. Oder wie ein alter Meister gesagt hat, man kann nicht gleichzeitig mit Gott und dem Teufel am selben Tische speisen.

Was die Entleerung des Bewußtseins betrifft, so trifft sich diese Anweisung mit manchen der östlichen Methoden, besonders mit dem Zen, wo allerdings von Anfang an, ohne eine vorausgegangene gegenständliche Meditation, jedes Objekt abgelehnt wird. Der Grund ist in beiden Fällen der gleiche, insofern in beiden Fällen eine höhere Erkenntnisweise angestrebt wird. Im christlichen Bereich würde das heißen, daß das bisherige Wissen begrifflich und beschränkt ist, während Gott überbegrifflich und unbeschränkt ist. Kein menschlicher Begriff kann Gott erfassen. Solange Gott noch begrifflich erfaßt wird, ist es nicht Gott, den wir uns gegenüber vorstellen, sondern nur ein Idol. Solange wir uns daher Gott in Begriffen zu nähern suchen, die alle aus der begrenzten geschöpflichen Welt genommen sind, entzieht er sich uns – es ist, wie wenn man Luft mit der Hand erfassen und festhalten wollte. Das bedeutet konkret, daß wir uns in der Meditation auf keinen Gedanken einlassen dürfen, weder indem wir ihn selbst hervorrufen noch ihn aufgreifen, wenn er ohne unser Bemühen in unser Bewußtsein tritt. Keinem Gedanken dürfen wir Einlaß gewähren, gleich ob er gut oder schlecht ist. Dieses »Nicht-Denken« ist für den westlichen Menschen äußerst schwierig, da seine ganze Kultur sozusagen vorwiegend auf dem Denken aufgebaut ist. Aber solange er bewußt und gewollt denkt, kann jene andere Kraft, die in der übergegenständlichen Meditation betätigt oder durch sie geweckt werden soll, nicht zum Zuge kommen.

Der Verfasser der »Wolke« wußte sehr wohl, daß das sehr schwer ist, selbst wenn man alle theoretischen Bedenken, die man gegen ein solches Vorgehen haben könnte, fallenläßt und sich ernstlich darum bemüht. Er rät deswegen, daß man ein Wort wähle und nur mit diesem einenWort jeden Gedanken abweise, der sich herandränge. Das Wort solle vor allem kurz sein, wie z. B. »Gott« oder »Lob«, aber es braucht keinen religiösen Inhalt zu haben; nur kurz soll es sein. Es soll wie ein Schild oder ein Speer sein, mit dem man jeden Gedanken abwehrt. Was hier angeraten wird, ist jedoch weder mit dem Vorgehen bei der Schriftwort-Meditation identisch, noch auch mit dem Mantra, wie es bei manchen indischen Meditationsweisen verwendet wird. Es ist aber auch verschieden von dem sogenannten Koan, das im Zen einen ähnlichen Zweck erfüllen soll. [...]

Der Verfasser der »Wolke« ist sich darüber klar, daß es sehr schwer ist, alle Gedanken fernzuhalten. Er sagt, es sei so schwer, alle Kenntnis und alles Gefühl von irgendeinem Geschöpf und besonders von sich selbst auszurotten, daß es die menschliche Kraft übersteige und nur mit der Hilfe Gottes möglich sei. Wenn das schon für den mittelalterlichen Mensch gilt, der doch meditativer lebte als der Durchschnittsmensch der Gegenwart, ist es für uns im 20. Jahrhundert erst recht schwierig. Wir müssen daher nach neuen und für uns wirksamen Mitteln suchen, die es uns möglich machen, über die Schwierigkeiten Herr zu werden, die gerade in unserer Zeit im Wege stehen. Dabei sollte man zunächst an Mittel denken, die uns jederzeit zur Verfügung stehen, wie z. B. eine entsprechende Körperhaltung und die Atmung. Es entspricht ja durchaus dem christlichen Denken, auch den Körper in den Dienst des Religiösen zu stellen, was schon immer in der Liturgie geschah. Auch der Körper gehört zum Menschsein nicht weniger als der Geist und sollte mit geheiligt werden. Tatsächlich hat sich auch in der christlichen Spiritualität in der Auffassung von der Beziehung zwischen Körper und Geist schon ein Wandel vollzogen. Während man in früheren Zeiten den Körper oft als Hindernis für die Betätigung des Geistes in religiöser Beziehung betrachtete, sieht man heute Körper und Geist mehr als ein ganzes; allmählich setzt sich die Auffassung durch, daß sich beides gar nicht vollkommen voneinander trennen läßt.

Hier nun kommt das Angebot des Ostens in den Blick.

Aus: Meditation als Weg zur Gotteserfahrung 1980

Zur Biographie H. M. Enomiya-Lassalles

Am 11. November 1898 wurde Hugo Lassalle in Externbrock bei Nieheim in Westfalen geboren. Er stammt aus einer alten Hugenottenfamilie, daher der französische Name Lassalle. Er ist das zweitälteste von 5 Kindern des Richters Georg Lassalle. Alle Geschwister sind inzwischen verstorben.

Volksschule, Mittelschule und Gymnasium besuchte er in Hildesheim, von 1911–1916 das Gymnasium Petrinum in Brilon. Im November 1916 wurde er zum Kriegsdienst einberufen, kämpfte an der Westfront, wurde im Oktober 1917 verwundet und 1919 aus dem Militärdienst entlassen.

Am 25. April 1919 trat er in die Niederdeutsche Provinz des Jesuitenordens ein und weilte von 1919–1921 in deren Noviziatshaus in s'Heerenberg (Holland). Seine Philosophiestudien absolvierte er am Ignatiuskolleg in Valkenburg (Holland) und in Stonyhurst (England) von 1921–1924. Theologie studierte er von 1924–1928 in Valkenburg und im Heythrop-College bei Oxford. Am 28. August 1927 wurde er zum Priester geweiht. Das Tertiat verbrachte er 1928/1929 in Amiens (Frankreich).

Am 3. Oktober 1929 kam Pater Lassalle in Japan an und wirkte von 1929–1938 in Tokyo. An der Sophia-Universität des Jesuitenordens lehrte er deutsche Sprache. Mit seinen Studenten widmete er sich der Sozialarbeit in den Slums von Tokyo, wo er dieses Sozialprojekt als »Jochi-Settlement« 1931 gründete. Von 1935–1949 war Pater Lassalle Superior der Jesuiten-Mission in Japan, besuchte in dieser Eigenschaft 1938 die Generalkongregation seines Ordens in Rom und reiste anschließend für die japanische Mission durch Deutschland, England, Kanada und die USA.

1938 verließ er Tokyo und ging nach Nagatsuka bei Hiroshima, wo er als Novizenmeister des Ordens wirkte. Von 1940 an hatte

er seinen Wohnsitz in der Stadt Hiroshima selbst und war dort
von 1940–1959 Vicarius Delegatus des Apostolischen Vikaria-
tes. Zwischendurch und anschließend bis 1962 war er auch
Pfarrer, leistete missionarische Arbeit und lehrte deutsche Sprache am Höheren Lehrerseminar und an der Kadettenschule.
Beim Abwurf der Atombombe am 6. August 1945 wurde er
verwundet und ist seitdem strahlengeschädigt.
Eine zweite Reise zur Generalkongregation seines Ordens mit
anschließenden Besuchen in Deutschland, Frankreich, der
Schweiz, Spanien, Südamerika und den USA erfolgte 1946/47.
In seinen Vorträgen warb Pater Lassalle um Verständnis für
Japan und regte den Bau der Weltfriedenskirche in Hiroshima an,
für die er Unterstützung im Ausland und nach seiner Rückkehr im
japanischen Inland erhielt, von Christen und Nicht-Christen! In
Hiroshima selbst wurde von Haus zu Haus gesammelt. Alle
großen Firmen und Banken beteiligten sich, die in Japan akkredi-
tierten Diplomaten gewährten Hilfe. Die Grundsteinlegung erfolgte am 6. August 1950, die Weihe am 6. August 1954. Ohne
Pater Lassalle wäre die aus der Todesasche neugeborene Stadt
vielleicht nicht zum »Mekka des Weltfriedens« geworden.
Von 1950 bis 1978 (bis zum 80. Lebensjahr!) lehrte Pater
Lassalle als Professor für Religionswissenschaft an der Musik-
hochschule »Elisabeth« zu Hiroshima. Aus Verbundenheit zu
dem Land seines längsten Wirkens hatte Pater Lassalle 1948 die
japanische Staatsbürgerschaft und den japanischen Namen Makibi Enomiya angenommen. Für seine Verdienste um Frieden
und Versöhnung ernannte ihn die Stadt Hiroshima am 1. April
1968 zu ihrem Ehrenbürger.
1962 übergab Enomiya-Lassalle das Amt des Pfarrers an der
Friedenskirche in Hiroshima an einen Diözesanpriester. Im gleichen Jahr begleitete er als Sekretär den Bischof von Hiroshima
zum II. Vatikanischen Konzil nach Rom.
Besondere Bedeutung in Enomiya-Lassalle's Leben gewann die
Begegnung mit der Zen-Meditation. Im Jahre 1943 hat er zum
ersten Mal an siebentägigen Exerzitien im Eimyo-Tempel in
Tsuwano in der Shimane-Provinz teilgenommen. Noch im Krieg

hat er sich gründlich dem Zen-Studium gewidmet und bei einem
der bedeutendsten Zen-Meister, dem Meister Daiun Sogaku
Harada, geübt.
Enomiya-Lassalle hat das Zen für das Christentum entdeckt.
Kein Missionar in Japan hat die Praxis des Zen so intensiv
erfahren wie er. Zunächst hatte er Zen nur für sich geübt und kam
erst später auf den Gedanken, auch andere diese Übungen zu
lehren. Er suchte einen Schlüssel zur japanischen Seele und fand
sie im Zen. Je mehr er sich dem Zen widmete, um Zugang zum
Herzen Japans zu finden, umso mehr machte er die Erfahrung,
daß Zen für sein religiöses Leben als katholischer Ordensmann
eine Hilfe ist. Enomiya-Lassalle hierzu wörtlich: »Im Zen kommt
die Seele Gott bis an die Grenze ihrer Möglichkeiten entgegen.«
Diesem schlichten, anspruchslosen und gelassenen Mann ist
persönlicher Ehrgeiz fremd.
1967 hielt Enomiya-Lassalle im Anschluß an die Ost-West-
Tagung auf Schloß Elmau an verschiedenen Orten in Deutschland Vorträge über das Zen.
1968 – inzwischen war er, nach Japan zurückgekehrt, als Mit-
glied des neu gegründeten »Institute of Oriental Religions« der
Sophia Universität nach Tokyo übergesiedelt – kam er erneut
nach Deutschland und hielt die ersten Zen-Kurse (sesshins), für
die vor allem die Benediktinerklöster wie Niederaltaich, Wein-
garten und Maria Laach ihre Stille zur Verfügung stellten.
Seitdem kommt Enomiya-Lassalle jährlich zu den Zen-Sesshins
nach Europa, wo er inzwischen zwei Drittel seiner Zeit verbringt.
Die Zen-Kurse sind – ohne Reklame – ständig überfüllt und
ausgebucht. Es gibt Voranmeldungen für 1987!
Enomiya-Lassalle's Schaffenskraft und unermüdlicher Einsatz
sind ohne Beispiel.
Auch in Japan wirkt er als Zen-Lehrer. Am 17. Dezember 1960
konnte der Bischof von Hiroshima ein kleines, von Enomiya-
Lassalle errichtetes Zen-Exerzitien-Haus »Shinmeikutsu« in
der Nähe von Hiroshima einweihen. Am 19. Dezember 1969
erfolgte durch den Erzbischof von Tokyo die Einweihung der von
Enomiya-Lassalle erbauten Zen-Halle »Akikawa-Shinmeikutsu«

(die »Höhle des göttlichen Dunkels«) in Hinohara-Mura am Rande von Tokyo, in einem verschwiegenen Naturschutzgebiet, das auf drei Seiten vom Herbstfluß, einem Wildbach, umflossen wird. Die »Höhle des göttlichen Dunkels« ist das erste christliche Zen-Meditationszentrum in Japan.

Höhle des göttlichen Dunkels heißt die Zen-Halle, weil der Lichtstrahl der Erleuchtung aus dem Geheimnisdunkel hervorbricht wie der Blitz aus der Finsternis.

Enomiya-Lassalle hält seit Ende der 60er Jahre regelmäßig Kurse in Europa und Japan ab im Wechsel mit Reisen zu den Zentren des Buddhismus und anderer östlicher Religionen in Korea, Indien, Thailand und den USA. Zwischen 1974 und 1977 hielt er auch Kurse in Vietnam, auf den Philippinen, in Hong Kong, auf Taiwan und in Pakistan.

Am 27. Dezember 1977 eröffnete Enomiya-Lassalle – nach der Einweihung durch den Bischof von Eichstätt – die neue Zen-Halle im Franziskanerkloster Dietfurt a.d. Altmühl mit einem Sesshin. Zahlreiche Publikationen belegen die Erfahrungen Enomiya-Lassalle's im Zen und seine Auseinandersetzungen in Theorie und Praxis des Zen aus der Sicht des Christen. Sie sind weitverbreitet und in mehrere Sprachen übersetzt.

Sein berühmtes Buch »Zen – Weg zur Erleuchtung« wurde von der katholischen Kirche zunächst wegen häretischer Tendenzen beanstandet. Dieses Buch wurde aber während des II. vatikanischen Konzils, welches mit Hilfe von Enomiya-Lassalle das Fenster zum Osten geöffnet hatte, freigesprochen.

Der langjährige Generalobere der Jesuiten, Pater Pedro Arrupe, schreibt u. a. über seinen Mitbruder Lassalle: »Da ich Pater Lassalle äußerlich und innerlich sehr gut kenne, glaube ich sagen zu können, er ist kein ›guru‹, kein ›leader‹, kein ›Pater Spiritual‹, kein ›Romantiker‹, kein ›westlicher Jesuit‹. Nein! Er ist all das und noch viel mehr: er ist ein Apostel, der allen alles werden wollte (1 Kor 9,22). Und das ist ihm gelungen.«

Die Zen-Meister Japans betrachten den Jesuiten und Zen-Meister Hugo Makibi Enomiya-Lassalle als ihresgleichen.

Im 88. Lebensjahr stehend absolviert Enomiya-Lassalle im

1. Halbjahr 1986 ein internationales Reiseprogramm, welches sich kaum von dem eines Industriemanagers unterscheidet. Bis zum 12. Juli 86 hat der bestens organisierte Zen-Meister seine Flüge gebucht, welche im Januar beginnend folgenden Routenverlauf haben: Tokyo–Amsterdam–Düsseldorf–München–Zürich–München–Zürich–München–Amsterdam–Tokyo–Amsterdam–Düsseldorf–München–Amsterdam–Tokyo. All dieses bewältigt Enomiya-Lassalle ohne jegliche Assistenz und Begleitpersonen. Bis zum Juli 1986 hält Enomiya-Lassalle insgesamt 18 Sesshins, hinzu kommen diverse Vortragsveranstaltungen und Konferenzen.

Zen-Sesshin

Zen-Sesshins sind Tage geistiger Sammlung, der intensiven Übung des Zazen unter einem Rôshi, einem Zen-Meister. Während eines Sesshins (5–9 Tage) bei Pater Lassalle herrscht für alle Teilnehmer absolutes Schweigen. Auch beim gemeinsamen Essen ist jegliche Unterhaltung untersagt. Der Weg nach Innen wird eingeübt.

Der Teilnehmer sollte keine Bücher und Zeitungen lesen, auch keine aktuellen Nachrichten im Rundfunk und Fernsehen verfolgen. Diese Ablenkungen führen immer wieder vom Weg ab. Täglich hält der Zen-Meister einen ca. einstündigen Vortrag (teisho) und gibt täglich jedem Teilnehmer einmal die Gelegenheit zur Einzelaussprache (dokusan), in der lediglich über die Erlebnisse und Erfahrungen während der Zen-Meditation zu berichten ist und Fragen gestellt werden dürfen, wie man weiterüben soll. Der Zen-Weg kann letztlich zur Erleuchtung führen.

Tagesordnung eines Zen-Sesshin:

6.00	Aufstehen
6.30	Tee
6.45–8.25	Zazen (3-mal je 30 Minuten)
8.30	Frühstück
9.00	Aufräumen der Zimmer
10.00	Kaffee/Tee
10.20–11.20	Teisho (Vortrag des Zen-Meisters)
11.20–12.55	Zazen (3-mal 30 Minuten)
13.00	Mittagessen und Mittagsruhe
15.00–17.15	Zazen (4-mal je 30 Minuten)
17.20	Abendessen
18.30	Eucharistiefeier
19.15–20.50	Zazen (3-mal je 30 Minuten)
21.00	Bettruhe

Buchveröffentlichungen in deutscher Sprache

Seit 1948 erschienen über 100 Veröffentlichungen von H. M. Enomiya-Lassalle in Spanisch, Japanisch, Italienisch, Französisch, Holländisch, Englisch, Koreanisch, Schwedisch und Deutsch. Diese Bibliographie berücksichtigt nur die lieferbaren deutschen Buchveröffentlichungen von H. M. Enomiya-Lassalle:

Zen-Weg zur Erleuchtung, Wien 1960, [6]1981
Zen-Buddhismus, Köln 1966, [3]1974. Revidierte 4. Neuauflage unter dem Titel: Zen und christliche Mystik, Freiburg 1986
Zen-Meditation für Christen, Weilheim 1968, [2]1976
Meditation als Weg zur Gotteserfahrung, Mainz 1972, [4]1980
Zen unter Christen, Graz 1973, [2]1974
Zazen und die Exerzitien des heiligen Ignatius, Köln 1975
Zen-Meditation. Eine Einführung, Zürich / Einsiedeln / Köln 1975, [3]1980
Wohin geht der Mensch, Zürich / Einsiedeln / Köln 1981. Jetzt nur als Taschenbuch unter dem Titel: Am Morgen einer besseren Welt, Freiburg 1984

Quellenverzeichnis

Die Texte wurden mit freundlicher Genehmigung des Autors und der
Verlage übernommen aus:

1: Wohin geht der Mensch, Benziger Verlag, Zürich / Einsiedeln / Köln
   1981, S. 7–9.22.
2: Aperspektivistische Wirklichkeitserfahrung und Manifestationen des
   Aperspektivistischen. Vortrag an der Evangelischen Akademie Loc-
   cum, 5. Juni 1985. Erstveröffentlichung.
3: Wie Nr. 2.
4: Wie Nr. 2.
5: Wie Nr. 2.
6: Wie Nr. 1, S. 78–80.
7: Wie Nr. 1, S. 24–26.
8: Wie Nr. 1, S. 28f.
9: Wie Nr. 1, S. 30f.
10: Wie Nr. 2.
11: Wie Nr. 1, S. 56–58.
12: Wie Nr. 1, S. 58f.
13: Wie Nr. 2.
14: Wie Nr. 2.
15: Wie Nr. 1, S. 74–78.
16: Wie Nr. 2.
17: Wie Nr. 2.
18: Wie Nr. 2.
19: Wie Nr. 2.
20: Wie Nr. 1, S. 116, 123–125.
21: Verändert die Praxis des Zen das religiöse Bewußtsein?, in: Knut
    Walf (Hrsg.): Stille Fluchten. Zur Veränderung des religiösen Be-
    wußtseins, Kösel-Verlag, München 1983, 13–15.
22: Wie Nr. 21, S. 15–18.
23: Wie Nr. 21, S. 20–22.
24: Wie Nr. 21, S. 22f.
25: Wie Nr. 21, S. 31f.
26: Wie Nr. 21, S. 35–37.
27: Wie Nr. 1, S. 97f., 104–108, 111–115.

28: Meditation als Weg zur Gotteserfahrung, Matthias-Grünewald-Verlag, Mainz [4]1980, S. 7–10.
29: Wie Nr. 28, S. 11–13.
30: Zen-Meditation. Eine Einführung, Benziger Verlag, Zürich / Einsiedeln / Köln [2]1977, S. 74f.
31: Wie Nr. 28, S. 13–16.
32: Wie Nr. 30, S. 77–80.
33: Wie Nr. 28, S. 24–27.
34: Wie Nr. 28, S. 90, 94f.
35: Wie Nr. 21, S. 30f.
36: Praxis und Vollzug der Zen-Meditation. Aus diversen Vorträgen von H. M. Enomiya-Lassalle 1985/86. Erstveröffentlichung.
37: Wie Nr. 36.
38: Wie Nr. 36. Abbildungen wie Nr. 21, S. 24.
39: Wie Nr. 36.
40: Wie Nr. 36.
41: Wie Nr. 36.
42: Wie Nr. 21, S. 32–34.
43: Wie Nr. 1, S. 127f.
44: Wie Nr. 1, S. 130–133.
45: Wie Nr. 1, S. 135–138.
46: Wie Nr. 1, S. 146–152.
47: Wie Nr. 28, S. 31–36.

Karl Rahner

Politische Dimensionen des Christentums

Ausgewählte Texte zu Fragen der Zeit
Herausgegeben und erläutert von Herbert Vorgrimler
Gebunden. 231 Seiten

»... Bei all seiner politischen Entschiedenheit war Karl Rahner sorgfältig darauf bedacht, einem Christen, der eine andere politische Meinung vertrat, weder das Recht auf diese Meinung noch das Christsein abzusprechen. Selbst in der Frage, die ihn am Ende seines Lebens politisch am meisten bekümmerte, in der Frage, wie der Drohung eines atomaren Krieges zu begegnen sei, hat er jene Christen nicht diffamiert, die für eine Sicherung durch fortgesetzte Aufrüstung optierten. Die von Rahner eingenommene politische Haltung zeigt das Bemühen, Christentum wie Demokratie von innen her zu bejahen ...«   *Publik-Forum*

»... Für Christen von eher traditioneller Herkunft, die Politik »den Fachleuten« überlassen wollen, ergibt sich daraus die Pflicht, den Glauben auch zur politischen Tat werden zu lassen. Die These fordert weiter, human engagierte Skeptiker oder Atheisten als Menschen anzunehmen, die in ihrer Nächstenliebe den Gott verehren, den sie nicht zu kennen meinen. Für Rahner sind Nichtglaubende nicht einfach Objekte herablassender Toleranz, sondern Partner, die jeder Christ hochachten muß und mit denen eine Verständigung über einen gemeinsamen Humanismus möglich ist ...«
Heilbronner Stimme

Kösel-Verlag · München

Pierre Teilhard de Chardin

Das Tor in die Zukunft

Ausgewählte Texte zu Fragen der Zeit
Herausgegeben und erläutert von Günther Schiwy
Kartoniert. 142 Seiten

»... Der ganze Teilhardsche Optimismus ist in diesen Texten enthalten, ist der Nerv ihres Plans, mit dem dieser große Forscher und Theologe in immer neuen Ansätzen und Anläufen versucht, uns mitzureißen ...
Bücher der Gegenwart

»... An den dringenden Fragen unserer Zeit Interessierte finden hier Antwort auf die weitverbreitete Zukunftsangst ...«
Fränkisches Volksblatt

»... Im gegenwärtigen Ringen um das durch Atomkrieg und ökologische Krise bedrohte Überleben der Menschheit gewinnen die Überlegungen Teilhard de Chardins neue Aktualität ...«
Lampertheimer Zeitung

»... Wer ernsthaft sich mit allem, was Menschheit und Welt bewegt, auseinandersetzt, der dürfte dankbar zu diesem Buch greifen. Denn hier spricht ein Vordenker zu Fragen auch unserer Welt und Zeit. ...«
Anzeiger für die Seelsorge

Kösel-Verlag · München